ATLAS
mundial contemporáneo

everest
INTERNACIONAL

Dirección editorial
Raquel López Varela

Coordinación editorial:
Ana Rodríguez Vega

Autores:
Eduardo García Ablanedo
Ana Rodríguez Vega

Diagramación y maquetación:
Eduardo García Ablanedo
Javier Robles

Cartografía:
Georama, S. L. (Paco Sánchez Ruiz, Edgar De Puy
y Fuentes y Gonzalo Pires)

Asesoramiento geográfico:
Paco Sánchez Ruiz

Documentación Fotográfica:
Eduardo García Ablanedo
Victoria Labarga Alonso

Fotografías:
Archivo Everest
Getty Images
www.123rf.com

Diseño de cubierta:
Darrel Smith

Diseño de interiores
Óscar Carballo Vales

© EDITORIAL EVEREST, S. A.
Carretera León-La Coruña, km 5 — LEÓN
ISBN: 978-84-441-1069-1
Depósito legal: LE. 2- 2012
Printed in Spain - Impreso en España

EDITORIAL EVERGRÁFICAS, S. L.
Carretera León-La Coruña, km 5
LEÓN (España)

www.everest.es
Atención al cliente: 902 123 400

Esta obra ha sido publicada con una subvención de la Dirección
General del Libro, Archivos y Bibliotecas del Ministerio de Cultura,
para su préstamo público en Bibliotecas Públicas, de acuerdo con
lo previsto en el artículo 37.2 de la Propiedad Intelectual.

El Atlas Universal Contemporáneo nos ofrece una visión del mundo diferente y sencilla. Diferente porque hemos partido de lo cercano, nuestro barrio, para llegar a lo que más lejano está, el universo, y sencillo porque creemos que con todo el apoyo fotográfico y una cartografía básica podemos explicar nuestro mundo sin dejarnos atrapar por cantidad ingente de datos que no ayudarían mucho, sino todo lo contrario. La información y las nociones sobre los que se asienta esta obra son conceptos imprescindibles y básicos que forjarán los cimientos de aquellos más amplios. Difícilmente sin ellos entenderíamos nuestro mundo ni nuestro entorno y mucho menos antiguas civilizaciones o futuras ciudades.

Un mismo concepto muestra diferentes caras y no aparece siempre de la misma manera ante nuestros ojos. No ha sido tarea fácil intentar mostrar cada una de sus posibles variantes. Somos conscientes de que una misma realidad es vivida de manera diferente en distintas partes del mundo. Algo tan sencillo como *barrio* surge ante nosotros de maneras tan diversas que algunas de ellas no dejan de sorprendernos. No es lo mismo un barrio de un país del primer mundo que otro que aparezca en los llamados países del tercer mundo. No es lo mismo una ciudad de India que una de Catar; o una europea que otra norteamericana. Mismos conceptos, diferentes resultados.

Rostros, costumbres, razas, civilizaciones, economías, noticias, políticas… todo en continuo movimiento reflejado también de manera visual ayudándonos del color. Este va adquiriendo intensidad a medida que nos vamos alejando de lo que tenemos a nuestro lado, de lo inmediatamente cercano.

EDITORIAL EVEREST

ÍNDICE

ÁFRICA

Argelia, Chad, Egipto, Gambia, Libia,
Malí, Mauritania, Marruecos, Níger, Senegal,
Sudán, Túnez.

Benín, Burkina Faso, Burundi, Cabo Verde, Camerún,
Congo, Costa de Marfil, Eritrea, Etiopía, Gabón,
Ghana, Guinea, Guinea-Bisáu, Guinea Ecuatorial,
Kenia, Nigeria, Rep. Centroafricana, Rep. D. del Congo,
Ruanda, Santo Tomé y Príncipe, Sierra Leona,
Somalia, Sudán del Sur, Togo, Uganda, Yibuti.

Ascensión (UK)

Angola, Bostsuana, Comores, Lesoto,
Madagascar, Malaui, Mauricio, Mozambique, Namibia,
Rep. de Sudáfrica, Seychelles, Suazilandia,
Tanzania, Zambia, Zimbabue.

CÓMO USAR ESTE ATLAS

El atlas está organizado en tres partes esenciales. La primera parte trata de conceptos básicos como barrio, ciudad o región, que nos servirán como trampolín a una segunda parte dedicada a los continentes, a su cartografía tanto física como política, su economía, su cultura y su rabiosa actualidad, parte que concluye con una serie de mapas regionales. Todo ello con una documentación exhaustiva y una actualización rigurosa.

TIPOS DE MAPAS

MAPA POLÍTICO

MAPA FÍSICO

Se muestran los rasgos naturales significativos del continente tratado, además de fotografías que se verán identificadas en el mapa a través de un número.

Aparecen reflejados en el mapa los países que conforman el continente, que también se verá retratado y proyectado en el mapa con fotos identificadas con números.

MAPA ECONÓMICO

MAPA CULTURAL

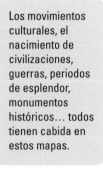

Los movimientos culturales, el nacimiento de civilizaciones, guerras, periodos de esplendor, monumentos históricos... todos tienen cabida en estos mapas.

A través de estos mapas la economía del país se verá reflejada de manera sencilla y visual. Estos datos también se acompañarán de material fotográfico.

MAPA ACTUALIDAD

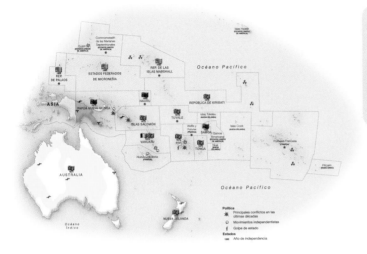

En este apartado hemos querido que estén reflejados los acontecimientos relevantes del continente que muchas veces pueden ser inmediatos y otras no lo son.

MAPA SITUACIÓN RELATIVA

MAPAS REGIONALES

Hemos fragmentado cada continente en varias regiones para mostrarlo detalladamente. Cada zona incluye los países que se pueden contemplar acompañados de sus banderas, así como aquellos territorios que son colonias de otros países.

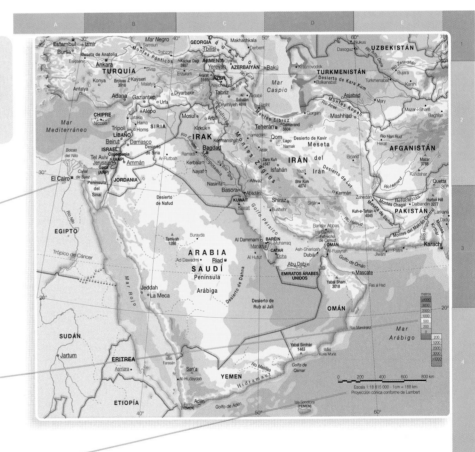

NÚCLEOS URBANOS
(en habitantes)

- ■ Más de 3 000 000
- ◉ de 1 000 000 a 3 000 000
- ▫ de 500 000 a 1 000 000
- · Menos de 500 000

ESCALA CROMÁTICA

metros

+4000
3000
2000
1000
500
200
0

200
1000
2000
3000
-4000

ESCALA NUMÉRICA

0   200   400   600   800 km

Escala 1:18 815 000 - 1cm = 188 km
Proyección cónica conforme de Lambert

En las dos páginas siguientes podrás ver la ubicación de las zonas regionales de cada continente para que las puedas localizar fácilmente.

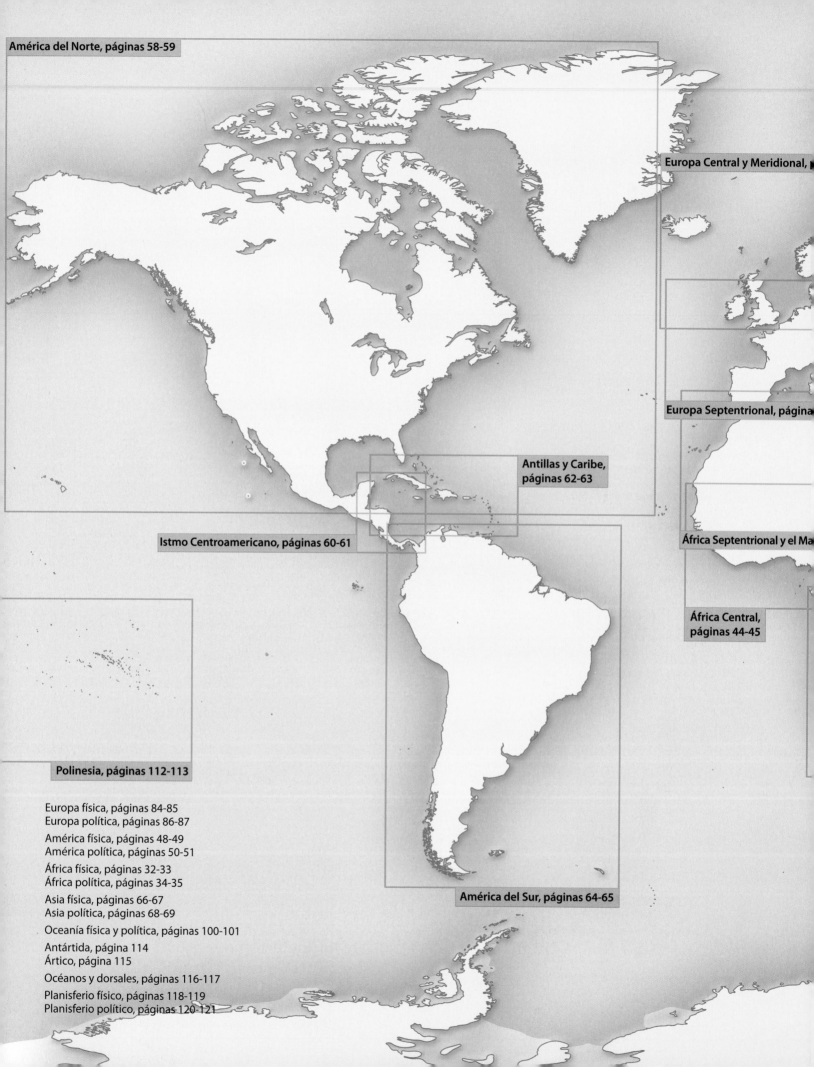

BARRIO

1 El barrio es cada una de las partes en las que se dividen los pueblos grandes o las ciudades. Los barrios, por lo general, se caracterizan por tener un nexo común, algo que les une, bien por sentido arquitectónico, bien por circunstancias topográficas o bien por carácter social.

ORIGEN DEL BARRIO

2

5

3

4

En el **plano** de una ciudad podemos ver la diferencia entre un trazado irregular, sin orden, en el interior de las murallas, y un trazado regular, que ha sido planificado antes de ser construido, como es el caso de los ensanches.

Los barrios son espacios heterogéneos donde personas de diferentes niveles sociales pueden, y de hecho lo hacen, vivir juntas. Es el lugar de la vida cotidiana que, aunque diverso, conforma una **unidad de identidad**.

El nacimiento de los barrios puede ser debido a varios factores, como son la autoridad judicial, el desarrollo inmobiliario o la evolución histórica. Seguro que has oído hablar del **barrio obrero**. Estos barrios surgieron alrededor de una fábrica o un centro laboral.

Existen **asociaciones de vecinos** en las que se organizan las personas que conviven en una misma comunidad, generalmente en el mismo barrio. Sus objetivos son conseguir logros y beneficios para su entorno.

Nuestro barrio nos ofrece bienestar, servicios, trabajo, etc. Pone a nuestra disposición **diversidad de prestaciones**, entre las que se incluyen áreas habitacionales, comercio, alimentación, producción a pequeña escala, y lugares de recreación y relajación como parques y jardines. El tráfico y la contaminación atmosférica son un grave problema para nuestros barrios, por lo que debemos respetar las zonas verdes.

¿Qué conocemos como *chinatown* o *barrio chino*? Es la zona urbana en la que reside una gran cantidad de población de origen chino en una sociedad no china. También son aquellas áreas urbanas en donde vive un gran número de residentes de origen asiático.

¿Por qué hay un barrio con casas antiguas? Porque en ellas vivían los habitantes de la ciudad en otras épocas. Poco a poco, la ciudad ha ido creciendo alrededor de este barrio antiguo o casco viejo.

Barrio portuario

Barrio chino

Barrio gótico

Barrio obrero

⑥

⑦

⑧

Los barrios son zonas contiguas que presentan unas **características físicas comunes** y unos límites propios. En la fotografía barrio con adoquines en Ronda (Málaga): uso de la forja en ventanas y balcones, de la madera en los suelos, y la cerámica en motivos ornamentales.

No todo es positivo en el barrio, también existen **problemas**. Cada día se recogen toneladas de residuos que tienen que ser eliminados. En nuestros barrios se consumen muchos litros de agua, que hay que depurar antes de verter a los ríos.

Los barrios favorecen un tipo de vida que tiene que ver con las **tradiciones** de la gente que allí vive y que son claramente diferentes a las de la población de otro barrio de la misma ciudad.

BARRIO

①

②

③

④

Los **barrios de las ciudades norteamericanas** (o *suburbs*) intentan dar prioridad a las actividades de carácter comercial como solución para la estabilización de la ciudad. Cuentan con sus propias dotaciones comerciales, financieras y administrativas.

Los **barrios sudamericanos** nacen como consecuencia de la movilidad social que se genera en América Latina durante la primera mitad del siglo XX. Los barrios están compuestos por una multiplicidad de familias de distintos orígenes, oficios y actividades cotidianas.

Los **barrios de los países árabes** surgen en la periferia de la ciudad, sin planificar ni urbanizar. Los habitantes poseen ingresos bajos. Las casas de estos barrios son blancas, con rejas y balcones azules, ya que el blanco repele el calor y el azul, los insectos.

Los *hutong* ('callejones') son los **barrios tradicionales de Pekín** (China), que contrastan con las largas avenidas y los modernos rascacielos. Son grandes manzanas de casas bajas, con estrechos callejones que no superan los tres metros de ancho. Se ordenan alrededor de un patio conocido como *siheyuan*.

Son muchos los países en los que se asocia la noción de *barrio* a poblaciones reprimidas y con viviendas precarias. De ahí que encontremos diferentes nombres para ello, y así en Argentina un barrio sería lo que se conoce como *villa miseria*; en Brasil, *favela*; en España, *poblado chabolista*; en Uruguay, *cantegril*; en Francia, *bidonville*...

Los **ecobarrios** incorporan las más avanzadas tecnologías, para ser respetuosos con el medioambiente. Estos barrios cuentan con sistemas no contaminantes de energía; están dotados de una red de recogida neumática de residuos sólidos urbanos, eliminando los contenedores de la calle, además de contar con edificios que aprovechan al máximo la luz, la energía solar y la ventilación natural.

Yurta en Mongolia

Favela en la ciudad de Río de Janeiro (Brasil)

Adobe en Mali

⑤
⑥
⑦

Palafito en Birmania

Los **barrios de las ciudades europeas** han ido evolucionando a lo largo de la historia. Generalmente, crecen a partir de un casco histórico. Más tarde, los ensanches han sido decisivos en los planes de ordenación urbana de las ciudades europeas.

En las **ciudades hindúes** los barrios son enormes, y en ellos conviven la extrema miseria y la opulencia. Prima el sistema de castas, cada una de las cuatro clases sociales establecidas por el hinduismo, que continúa siendo una característica indeleble de la sociedad india.

Los **barrios de las ciudades africanas** reflejan la dureza del continente. Son viviendas precarias, en estado de abandono o dejadez, sin luz ni agua. A pesar de su miseria, de los problemas, de la ausencia de todo... siempre suele estar presente la solidaridad entre los vecinos.

Madera en Portugal

CIUDAD

Es aquella área urbana con una alta densidad poblacional, y en la cual predominan fundamentalmente los servicios y las industrias, oponiéndose a las actividades de tipo agrícola que se realizan en las regiones rurales.

FUNCIONES DE LA CIUDAD

Militar
Ciudades emplazadas en un lugar de fácil defensa y dominio de una zona, en torno a colinas o rodeadas por un río. Además, estas ciudades solían tener murallas o castillos.

Religiosa
Ciudades que se convierten en centros de peregrinación, o son sede del líder espiritual de una religión, como ocurre con las ciudades de Lourdes, La Meca, Fátima o Ciudad del Vaticano.

Cultural e histórica
Ciudades relacionadas con el mundo del arte, como Venecia o Salzburgo (museos, teatros, óperas), y de las letras y las ciencias, como Cambridge o Salamanca (institutos, universidades).

Turística
Ciudades que atraen a gran número de visitantes, bien sea por su atractivo físico, como París o Tokio; artístico, como Roma o Praga; o de ocio, como Florida, La Habana o Puerto Vallarta.

✳ Hace apenas doscientos años, solo una persona de cada cuarenta vivía en una ciudad. Hoy en día, casi la mitad de la población del mundo vive en ciudades... ¡una cantidad que aumenta sin cesar!

Metrópolis

Tokio

Mientras los núcleos rurales se van apagando poco a poco, las ciudades aumentan sus funciones e incrementan la concentración de población en ellas. Este proceso se denomina ***éxodo rural;*** la gente, generalmente joven, se traslada a vivir del campo a la ciudad.

La falta de servicios, la escasez de empleo y de instituciones en el medio rural hacen que la población se concentre en las ciudades por el aliciente de disfrutar de todos los servicios.

México D. F.

Nueva York

Administrativa

La ciudad capital de la nación acoge la función administrativa y en ella residen las instituciones del Estado. En ocasiones se sitúa geográficamente en el centro del país, por comodidad organizativa y de comunicación; por ejemplo Madrid (España), Roma (Italia) o Ankara (Turquía).

Vanguardista

Las ciudades de vanguardia se caracterizan por estar a la última en algún campo como la cultura, la medicina, el medioambiente, la moda, etc. Ejemplo de ello son Ámsterdam, Houston, Berlín, París...

Industrial

Las ferias y mercados favorecieron el nacimiento de las ciudades en lugares bien comunicados, como cruces de caminos o puertos de mar. La ciudad es el centro de intercambio de productos. Muestra de ello son Bilbao, Mánchester, Barcelona...

São Paulo

CIUDAD

Las Islas Palmera de Dubái son enormes islas artificiales, construidas por el ser humano ganando terreno al mar y llevadas a cabo con nuevas tecnologías, basadas en la construcción holandesa de diques. Estos islotes se pueden divisar desde el espacio.

HISTORIA DE LA CIUDAD

Neolítico

Con la aparición de la agricultura, los hombres dejan de ser nómadas y surgen los primeros asentamientos poblacionales en las zonas mejor dotadas para la agricultura, que son los valles de los principales ríos del planeta.

Primeras ciudades

Conocemos el origen de las ciudades gracias a los restos arqueológicos de Jericó, Mohenjo Daro o Catal Huyuk. Posteriormente, se construyen las polis griegas y las ciudades romanas, ambas siguiendo los trazos de planos regulares.

Ciudad medieval

Las murallas protegen las ciudades medievales, en cuyo interior tiene vida propia el burgo, zona donde surgen los nuevos oficios que sustituyen en parte a la actividad agrícola.

Ciudad renacentista

En la ciudad renacentista toma protagonismo la estética de la ciudad, y los edificios se organizan siguiendo las pautas del clasicismo. Ciudades como Florencia o Venecia son ejemplo del estilo renacentista.

* La ONU estableció en 1977 los criterios de definición de *ciudad* en 133 países:

Suecia: 200 hab.
Canadá: 1000 hab.
EE. UU.: 2500 hab.
España: 10 000 hab.
Bélgica: 5000 hab.
Japón: 30 000 hab.

* La ciudad más austral del mundo es Ushuaia, que está situada en Tierra del Fuego, al sur de Argentina.

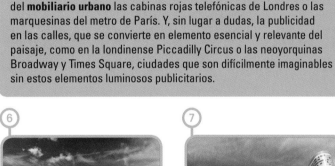

El **paisaje urbano** está formado por elementos que representan cada ciudad: el empedrado de las aceras como los característicos *panots* de Barcelona o los azulejos de Lisboa. Transportes públicos como el *tuk-tuk* o el *rickshaw* de Nueva Deli o Japón, los *yellow cars* de Nueva York, los autobuses de dos pisos de Londres, los tranvías de Lisboa, Praga, Viena… o las góndolas de Venecia. También forman parte del **mobiliario urbano** las cabinas rojas telefónicas de Londres o las marquesinas del metro de París. Y, sin lugar a dudas, la publicidad en las calles, que se convierte en elemento esencial y relevante del paisaje, como en la londinense Piccadilly Circus o las neoyorquinas Broadway y Times Square, ciudades que son difícilmente imaginables sin estos elementos luminosos publicitarios.

Paisaje urbano

Cabinas en Londres

Marquesinas en París

Carteles en Nueva York

Azulejos en Lisboa

⑤

⑥

⑦

Ciudad industrial
La revolución industrial llega a las ciudades en forma de ensanches planificados y barrios obreros donde alojar a la nueva población procedente del medio rural.

Ciudad contemporánea
Hoy, la ciudad es el centro de las actividades económicas, administrativas y culturales, jugando el transporte un papel fundamental. Crecen las periferias, y asistimos a la llamada *rururbanización*.

Ciudad del futuro
En el futuro, siete de cada diez personas del mundo vivirán en ciudades, por lo que estas tendrán que adaptarse a las nuevas tendencias teniendo en cuenta la movilidad, el medioambiente y las energías renovables, entre otras muchas.

REGIÓN

1 Es una porción de territorio determinada por ciertas características comunes o circunstancias especiales, como pueden ser el clima, la topografía o la forma de gobierno. Es una división territorial, definida por cuestiones geográficas, históricas y sociales, que cuenta con varias subdivisiones, como departamentos, provincias, ciudades y otras.

2 Región natural
Se conoce como *región natural* al tipo de región determinada por la geografía física que la conforma. Así, para plantear la división se tiene en cuenta el relieve, la vegetación o la hidrografía, entre otros factores.

3 Región económica
Este tipo de región viene definida por la economía que predomina en un determinado territorio. Ejemplo de ello es el Cottonbelt ('cinturón de algodón' en EE. UU.), la región agropecuaria de La Pampa, en Argentina, o la industrial del Rhur en Alemania.

4 Región histórica-cultural
Está formada por un territorio donde los habitantes comparten aspectos básicos de su cultura, como la lengua o la religión. Ejemplo de región histórica es el Magreb del mundo musulmán.

5 Macrorregión
Área que agrupa a territorios de varias regiones, con características comunes o con una misma finalidad. Así, nos encontramos macrorregiones como la Unión Europea, regiones del sudoeste europeo (Castilla y León, Galicia, norte de Portugal).

✳ Una región administrativa es una división regional organizada por el Estado nacional para facilitar la administración y el gobierno de un país. Estas regiones tienen un origen artificial, dispuesto por una ley, más allá de que la división tenga en cuenta criterios geográficos o culturales.

REGIÓN

Los biomas son regiones delimitadas por condiciones climáticas y geográficas. Generalmente se definen por el tipo de vegetación dominante, resultado de las características climatológicas.

①  ②  ③  ④

REGIONES NATURALES

Taiga

Concentra la mayor masa forestal de tierra compuesta por bosques de coníferas (pinos y abetos). Se localiza en América del Norte y en zonas del norte de Europa y Asia, además de en algunas zonas montañosas. Animales como el oso, zorro, reno, ciervo... habitan estas zonas.

Tundra

Comprende las regiones del norte de Alaska, Canadá y Rusia. Tundra en ruso significa «llanura pantanosa», y se caracteriza por tener el suelo helado y estar desprovista su superficie de árboles. La fauna propia de esta región la componen el oso polar, la foca y el zorro ártico, entre otros.

Bosque templado y pradera

El bosque templado cubre el oriente de EE. UU., Gran Bretaña, Asia oriental y el centro de Europa. En esta región, la vegetación es caducifolia (roble o maple, arce, haya, olmo) y la fauna, muy diversa, con ratones, ciervos, jabalíes, oropéndolas, horneros, ardillas, murciélagos, etc.

Desierto

Zonas de la tierra donde prácticamente no llueve, las temperaturas son muy altas y la vegetación es muy escasa, con predominio de palmeras y cactus. Aquí solo sobreviven arañas, serpientes, coyotes y lagartijas. El desierto más extenso del mundo es el Sahara (África).

Danza hindú

✳ Podemos encontrarnos desde una región económica, que es la que desarrolla un producto específico destinado a comercializar con otras regiones del país, hasta una región de tipo cultural, que será en la que se suceden festividades, bailes..., característicos y originarios, y que, por tradición, supieron mantener hasta convertirse, a lo largo de los años, en una zona que básicamente aúna y resalta dichos aspectos culturales.

Rodeo americano

Cada país se divide en diferentes entidades territoriales. Francia posee 100 **departamentos**, que se corresponden con el código postal, siendo también las circunscripciones electorales. Suiza cuenta con 26 **cantones** (Estados dentro del Estado), Portugal se divide en 20 **distritos**, Estados Unidos de América está fraccionado en 50 **Estados**, y en España existen 17 **CC. AA.**, donde cada una posee competencias administrativas, legislativas, etc.

Máscara africana

⑤

⑥

⑦

Sabana
Región propia de los trópicos, que cubre importantes áreas de África, Asia, Australia y América del Sur. Se caracteriza por tener una estación seca y otra húmeda. Son árboles típicos de sabana los baobabs o palmeras.

Estepa
Se suele definir como *desierto frío*, con veranos cálidos e inviernos fríos. Predominan las gramíneas y los arbustos. Los animales que habitan estas zonas son el caballo de Przewalski o caballo salvaje mongol, el águila de las estepas y el hámster, entre otros.

Selva
Ocupa zonas próximas al ecuador. Predominan árboles de gran altura con ejemplares de hasta 40 metros. Los animales selváticos son desde las aves, que anidan en las copas de los árboles, hasta monos y tucanes. En el suelo nos encontramos felinos, reptiles, insectos...

Semana Santa en España

PAÍS

1

Un país es una zona de tierra independiente, que tiene una frontera y un nombre reconocido por otros países. También posee su propia bandera y un himno nacional.

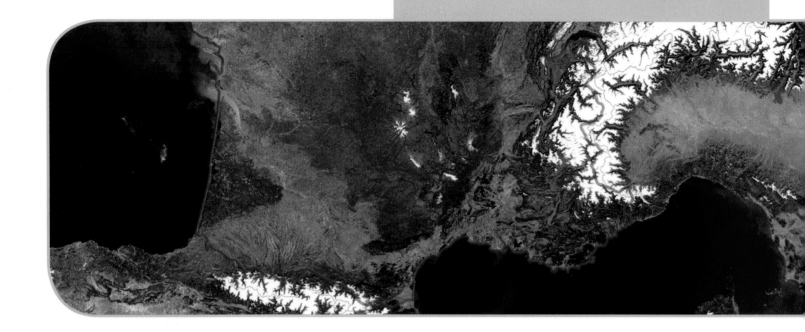

Hay unos 15 millones de personas que no viven en países, viven en **dependencias**. Las dependencias son como países, pero están regidas desde algún otro lugar. Por ejemplo, Guyana es una dependencia de Francia.

El país más pequeño del mundo, **Ciudad del Vaticano**, tiene el tamaño aproximado de 100 campos de fútbol. La lista de países más pequeños del mundo son: Ciudad del Vaticano (0,44 km^2), Mónaco (1,9 km^2), Nauru (21 km^2), Tuvalu (26 km^2) y San Marino (61 km^2).

Los países se encuentran divididos por líneas imaginarias que determinan su territorio. A estas líneas se las conoce como *fronteras,* y son las encargadas de delimitar un país y otro. Además, se prolongan hacia arriba para delimitar el **espacio aéreo** de un Estado.

Casi todas las **banderas** de los países del mundo son rectangulares, con varios colores o figuras. La de Libia es la única de un solo color (verde), la de Suiza y Ciudad del Vaticano son cuadradas, y la bandera de Nepal tiene dos triángulos.

✷ Nación: conjunto de personas de un mismo origen y que, generalmente, hablan un mismo idioma y tienen una tradición común.

Antigua bandera de la Unión de Repúblicas Socialistas Soviéticas (URSS) o Unión Soviética: fue un país europeo que existió durante gran parte del siglo XX (1922-1991). Lo integraban Armenia, Azerbaiyán, Bielorrusia, Estonia, Georgia, Kazajistán, Kirguistán, Letonia, Lituania, Moldavia, Rusia, Tayikistán, Turkmenistán, Ucrania y Uzbekistán.

✷ Estado: porción de territorio cuyos habitantes se rigen por leyes propias, aunque estén sometidos en ciertos asuntos a las decisiones de un gobierno común.

Real Academia Española.

Países extintos. Hay países que no has llegado a conocer, ya que desaparecieron por diversas razones (modificación de fronteras, cambio de nombre, unificación, etc.). Los países más conocidos que ya no existen son:

-Con el nombre *Zaire* fue conocido, entre el 27 de octubre de 1971 y el 17 de mayo de 1997, el país africano llamado *República Democrática del Congo*.

-**Yugoslavia** (1945-1992), antiguo país europeo de la península balcánica formado por Eslovenia, Croacia, Bosnia-Herzegovina, Serbia, Montenegro, Macedonia y Kosovo.

-Otros países extintos son: **Checoslovaquia**, entre 1918 y 1992 (República Checa, Eslovaquia); República Democrática Alemana (**RDA**) y República Federal de Alemania (**RFA**), entre 1957 y 1990, reunificadas en la actual Alemania.

⑥

⑦

⑧

⑨

Nación hace referencia a aquel grupo de personas que comparte un sentimiento de pertenencia común, así como lengua, tradición, folclore y cultura. *Estado* es la delimitación geográfica caracterizada por tener cabida unas leyes y un gobierno propios.

Actualmente son 193 los países independientes y reconocidos por la **ONU** (Organización de las Naciones Unidas). Los últimos países en ser admitidos fueron Montenegro (2006) y Sudán del Sur (2011); y un caso especial es Ciudad del Vaticano, que es miembro observador.

La mayor parte de los países del mundo pertenecen a **Naciones Unidas**. Esta organización fue creada para mantener la paz entre los países y fomentar la ayuda internacional. La bandera de la ONU muestra un mapa del mundo rodeado por una rama de olivo, que simboliza la paz.

La mayor parte de los países del mundo son independientes, pero cuando están controlados por otras naciones se les llama *colonias*. Algunos ejemplos son Bermudas, Gibraltar, Anguila...

PAÍS

A lo largo de los siglos, las guerras, revoluciones y movimientos independentistas han dado forma al mundo. Los países han cambiado sus nombres, se han unido con sus vecinos y han ganado o perdido territorio.

Rusia es el país más grande del mundo, con una **extensión** de 17 075 200 km², seguido de Canadá (9 984 670 km²), Estados Unidos (9 631 420 km²) y China (9 596 960 km²). Rusia ocupa más de la octava parte de la tierra firme del planeta.

La **Antártida** es el único continente que no está dividido en países. Numerosos Estados reclaman su soberanía sobre este territorio, entre ellos Argentina, Chile, Australia, Francia y Reino Unido.

Una **embajada** es la representación diplomática de un Gobierno nacional ante el Gobierno de otro país. El **consulado** es la representación de la administración pública; ambos protegen y custodian los intereses de sus naciones.

Todos los países tienen **Gobiernos** que deciden cómo dirigir el país. Hoy, la mayoría de los países son repúblicas democráticas; esto quiere decir que la gente ha elegido su Gobierno de entre varios partidos políticos.

✳ El estudio de las banderas se llama *vexiología*. Esta palabra procede del latín *vexillum*, que era el estandarte o bandera que identificaba a los soldados romanos, y del griego *logos*, 'conocimiento'.

Diplomacia. Los contactos entre los países son un elemento básico del devenir histórico y del desarrollo de los mismos. Las relaciones exteriores son una parte fundamental de las tareas del Gobierno de un país. Gracias a las relaciones diplomáticas se estimula el comercio, se establecen alianzas y entran en contacto diferentes culturas.

Los colores elegidos para la **bandera** de un país encierran una fuerte carga simbólica, que está relacionada con el pasado de dicho país. Existen criterios de tipo histórico, político, religioso, simbólico, etc. Un mismo color en banderas distintas puede tener significados diferentes: el **rojo**, en la bandera de China, significa «revolución», y «sangre» en la de Tailandia; el **blanco**, «paz» en las banderas de Chipre y Nigeria; «nieve» en las de Canadá, Chile y Finlandia, y «pureza» en las de Myanmar, Argelia o Kuwait. Muchas banderas incorporan a sus colores algún escudo, símbolo religioso o animales y plantas típicas de ese país.

⑤

⑥

⑦

⑧

Dentro del territorio de un país, la ciudad designada **capital** se constituye como centro de la administración política de un Estado. Por lo general, en la capital se administran las relaciones exteriores del país y se ubican las embajadas de los demás países.

Nombre geográfico o **topónimo** es la denominación con la que se designa un lugar o entidad geográfica. Ecuador lleva este nombre por estar situado sobre la línea del ecuador; o Colombia, bautizada así en honor al almirante Cristóbal Colón.

Muchos países utilizan el mismo nombre para su **dinero** y **moneda**. EE. UU., Australia y Singapur tienen dólares. Los dinares se emplean en Argelia, Irak, Jordania, Serbia...; Portugal, Francia Alemania, España... tienen euros. Otras monedas, como el *zloty* polaco o el yen japonés, son únicas.

Países de **facto** (Estados dentro de otros Estados) son los que no reciben el reconocimiento internacional y permanecen desconocidos a pesar de su capacidad para gobernar y mantener el control del territorio. En la imagen, la bandera de Kosovo.

CONTINENTE

① Los continentes son grandes extensiones de tierra separadas por los océanos. Cada continente lo integran muchos países.

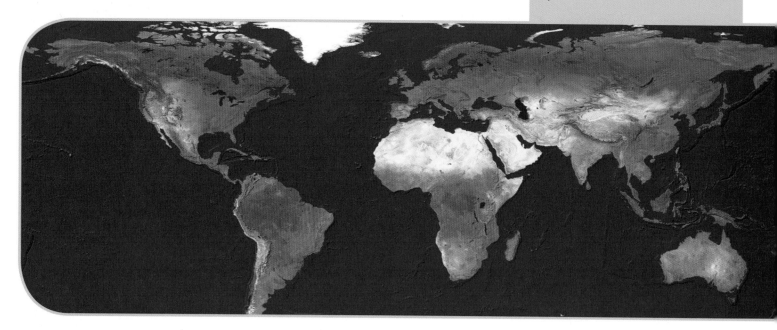

②

③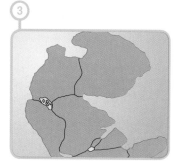

④

⑤

Existen **seis continentes**: África, América, Antártida, Asia, Europa y Oceanía, que cubren el 30 % de la superficie de la Tierra. Asia, el continente más grande, es cuatro veces mayor que Europa y ocupa casi un tercio de la superficie terrestre.

Los continentes no siempre han sido como los conocemos. Se sabe que hace unos 275 millones de años estaban unidos en uno solo llamado **Pangea**. En el futuro, todos los continentes del planeta volverán a unirse en un único y gigantesco supercontinente.

¿Sabías que **Eurasia** es el nombre que se le da a la unión del continente europeo y asiático? Rusia, por ejemplo, es un país bicontinental, pues está en los dos continentes. **Eurafrasia** es el nombre del supercontinente formado por la unión de Asia, Europa y África.

El continente con mayor número de **países** es África, con 54, seguido de Europa, con 47, Asia, con 45, América, con 38, y Oceanía, con 14. África es el segundo continente más grande del mundo, después de Asia.

Las fotografías de los satélites muestran la Tierra desde el espacio. La teledetección es un conjunto de técnicas utilizadas para obtener información de la superficie terrestre.

CONTINENTE

La **Antártida** es el único continente que no está dividido en países. No obstante, una treintena de estos poseen bases científicas en este continente. Alberga alrededor del 80 % del agua dulce del planeta.

En **África** se encuentran las mejores reservas de animales salvajes, que miles de turistas de todo el mundo visitan. Sin embargo, en este continente se sitúa el mayor número de países subdesarrollados del mundo.

La cordillera de los Andes es la más larga del mundo, con casi 7500 km que bordean el oeste del continente **americano**. La altitud media de la cordillera es de 4000 m, y el Aconcagua es la altura máxima del continente, con 6962 m.

Europa es el continente más urbanizado del mundo, ya que la mayoría de los europeos viven en ciudades; son los ciudadanos del mundo con la esperanza de vida más alta y con la natalidad más baja.

ORIGEN DEL NOMBRE DE LOS CONTINENTES

África
Nombre de una diosa representada por una mujer bizarra, de porte oriental, sentada sobre un elefante y que sujeta en una mano el cuerno de la abundancia y, en la otra, un escorpión.

América
Debe su nombre al navegante, de origen italiano, Américo Vespucio. En uno de los cuatro viajes que realizó al Nuevo Mundo, exploró y cartografió las costas de Brasil y Argentina, llegando a la conclusión de que aquello no podía ser Asia, sino que se trataba de un continente nuevo. En honor a este hallazgo, las originalmente llamadas *Indias Occidentales* tomaron su nombre.

Antártida
El caso de este nombre es especial. Su apelativo proviene de la voz griega *antartikos*, por oposición a *artikos*, que a su vez deriva de la palabra *arktos*, que significa «oso», por encontrarse la Estrella Polar en la constelación de la Osa Menor.

Asia
Recibe su nombre de la diosa homónima Asia, deidad oceánica fruto del matrimonio entre Océano y Tetis, madre de las fuentes y los ríos.

Europa
Recibe este nombre en honor a una princesa fenicia de gran belleza que despertó el amor de Zeus (padre de todos los dioses del Olimpo), quien se transformó en toro para poder raptarla y llevársela a Creta. En un principio, el nombre de Europa se aplicó solo a la parte continental de Grecia, en oposición al Peloponeso y a las islas.

Oceanía
Proviene de Océano, el dios-río universal cuya corriente lo baña todo para volver finalmente sobre sí mismo.

✴ Continente: cada una de las grandes extensiones de tierra separadas por los océanos.
Real Academia Española.

✴ ¿Sabías que el continente de la Antártida en invierno duplica su tamaño al congelarse los mares?

En **Asia** se encuentra el monte Everest, cuya cima, la más alta del planeta, se ubica en la cordillera del Himalaya, marcando la frontera entre Nepal y China. En Siberia se localiza el lago Baikal, el más profundo del mundo y el séptimo más grande.

Oceanía es el continente más pequeño de la Tierra, y el menos poblado, a excepción de la Antártida; Oceanía posee una pirámide de población muy joven. Aunque el sector primario sigue siendo clave para las exportaciones, la mayor parte trabaja en el sector servicios.

ÁFRICA
FÍSICA

Superficie:
30 319 000 km²
Habitantes:
1 000 000 000
Punto más elevado:
Kilimanjaro (Tanzania), 5895 m
Punto más bajo:
Lago Assal (Yibuti), 173 m
bajo el nivel del mar
Río más largo:
Nilo, 6671 km
Mayor desierto:
Sahara, 9 100 000 km²
Lago más grande:
Lago Victoria, 69 484 km²
País más grande:
Argelia
País más pequeño:
Seychelles

✴ La isla más grande de África y la cuarta del mundo es Madagascar, en el océano Índico.

El **elefante africano** es más voluminoso y tiene orejas más grandes que el asiático. Las orejas de los elefantes cumplen una función refrigerante en este paquidermo. Estos elefantes están en peligro de extinción por la caza excesiva y por la deforestación.

Río Nilo a su paso por Egipto. Es el mayor río de África (6756 km), además de ser considerado por estudios recientes el segundo más largo del mundo después del Amazonas.

Reserva Amboseli. La sabana africana y, al fondo, el pico Kilimanjaro (Tanzania), el más alto de África (5895 m). El mítico monte africano, debido al calentamiento global, va perdiendo su capa de nieves perpetuas.

✴ ¿Sabías que una grieta gigante en el desierto de África se convertirá en un nuevo océano? El mar Rojo será parte de un nuevo mar dentro de un millón de años. El nuevo océano tendrá conexión con el mar Rojo y el golfo de Adén, entre Yemen y Somalia.

Después de Asia, África es el segundo continente más grande del mundo. Se extiende desde el mar Mediterráneo, por el norte, hasta el cabo de Buena Esperanza, por el sur, y está compuesto por más de 50 países. Además de por el mar Mediterráneo, sus costas están bañadas por el océano Atlántico, en el oeste, y el mar Rojo y el océano Índico, en el este.

La transición entre paisajes es muy brusca: de la fértil costa mediterránea se pasa a la cordillera del Atlas, y de esta al **desierto del Sahara**, el mayor del mundo. Este gran desierto constituye una barrera natural que dificultó siempre el intercambio entre África del norte y el resto del continente. Siguiendo hacia el sur aparece la **sabana**, extensa llanura salpicada de árboles donde viven cebras, jirafas, ñus, leones, hienas y leopardos. En torno al ecuador, hay espesas **selvas tropicales** que dejan paso a los desiertos de Kalahari y Namibia, para terminar en las montañas Drakensberg. El este de África está dominado por una serie de fracturas en la corteza terrestre. El **Gran Valle del Rift** discurre de norte a sur, formando en determinados lugares lagos largos y profundos.

El **Nilo** es el principal río de África: sus aguas son muy importantes para los países que atraviesa, porque hace que sus tierras sean fértiles. Otros ríos son: el Congo o Zaire, el Níger y el Zambeze. El lago más largo de África es el lago Victoria, que se extiende entre Kenia y Tanzania.

La mayor parte del continente se sitúa entre los trópicos, por lo que su **clima** en general es cálido. El clima en África varía mucho en función de la latitud en la que nos encontremos.

ÁFRICA
POLÍTICA

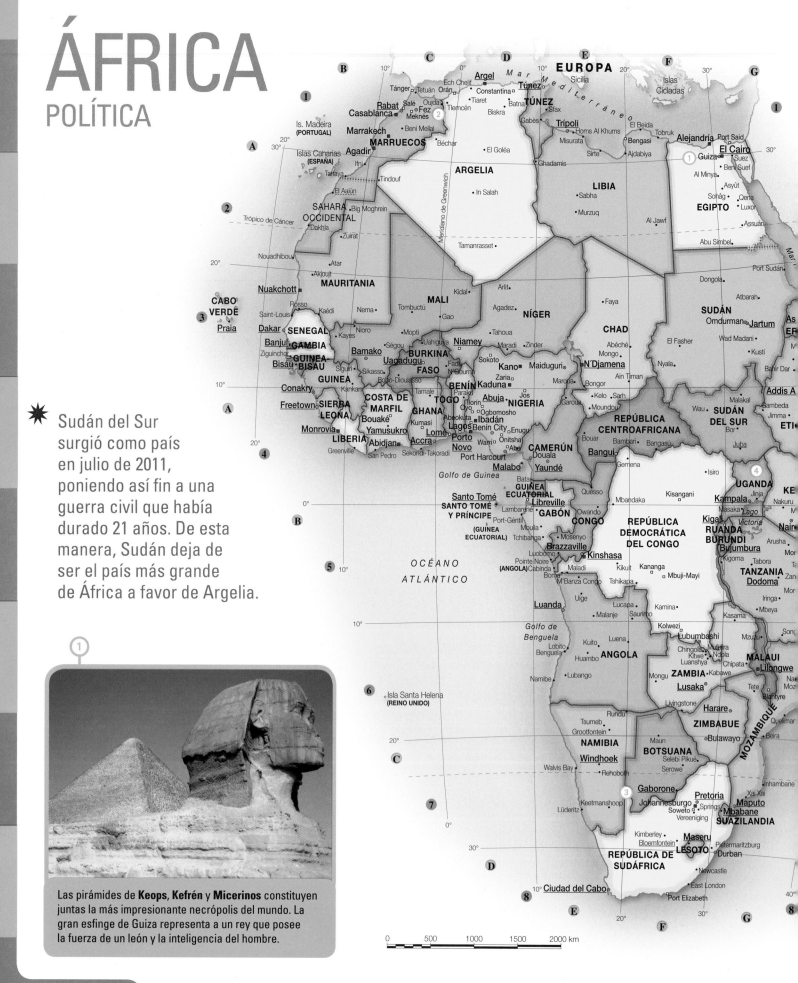

✹ Sudán del Sur surgió como país en julio de 2011, poniendo así fin a una guerra civil que había durado 21 años. De esta manera, Sudán deja de ser el país más grande de África a favor de Argelia.

Las pirámides de **Keops**, **Kefrén** y **Micerinos** constituyen juntas la más impresionante necrópolis del mundo. La gran esfinge de Guiza representa a un rey que posee la fuerza de un león y la inteligencia del hombre.

EUROPA

Mar Mediterráneo

Islas Cícladas

Is. Madeira (PORTUGAL)

Tánger · Tetuán · Ech Chelif · Orán · Constantina · Túnez · Sicilia

Rabat · Salé · Oujda · Tlemcén · Tiaret · Batna · **TÚNEZ** · Sfax

Casablanca · Fez · Meknés · Biskra · Gabès · Trípoli · Homs Al Khums · El Beida · Port Said

Marrakech · Beni Mellal · Misurata · Sirte · Bengasi · Tobruk · Alejandría

MARRUECOS · Béchar · El Goléa · Ghadamis · Ajdabiya · **El Cairo**

Agadir · Ifni · Guiza · Suez

Islas Canarias (ESPAÑA) · In Salah · **LIBIA** · Beni Suef

Tarfaya · Tindouf · Sabha · Al Minya

El Aaiún · Murzuq · Asyût

SAHARA OCCIDENTAL · Tamanrasset · Al Jawf · **EGIPTO** · Sohâg · Qena · Luxor

Dakhla · Abu Simbel · Assuán

Nouadhibou · Port Sudán

ARGELIA

Atar · Akjoujt · Kidal · Arlit · Dongola · Atbarah

Nouakchott · Faya · **SUDÁN**

CABO VERDE · Rosso · Kaédi · Nema · Tombuctú · Agadez · Omdurman · Jartum

Saint-Louis · **MALI** · Gao · Tahoua · **CHAD** · El Fasher · Wad Madani

Praia · Dakar · Nioro · Mopti · Ségou · **NÍGER** · Abéché · Mongo · Nyala · Kusti

SENEGAL · Kayes · Uahiguya · **Niamey** · Maradi · Zinder · **N'Djamena** · Bahir Dar

Banjul · **GAMBIA** · Bamako · **BURKINA** · Fada N'Gourna · Sokoto · Kano · Maiduguri · Ain Timan · Bongor · Kelo · Sarh · Wau · **SUDÁN DEL SUR** · Addis A

Ziguinchor · **GUINEA-BISSAU** · Siguiri · Sikasso · **FASO** · Zaria · Kaduna · Maroua · Moundou · Bor · Juba · Addis A

GUINEA · Kankan · Bobo-Dioulasso · Tamale · **BENÍN** · Parakú · **NIGERIA** · Garoua · Bambari · Bangasú · Jimma

Conakry · **TOGO** · Oyo · Jos · **REPÚBLICA CENTROAFRICANA** · Bouar · Gemena

Freetown · **SIERRA LEONA** · **COSTA DE MARFIL** · **GHANA** · Ibadán · Ogbomosho · Enugu · Douala · **Bangui** · Isiro · **UGANDA**

Monrovia · Bouaké · Kumasi · Lagos · Benin City · Onitsha · Abo · **CAMERÚN** · Yaundé · Mbandaka · Kisangani · **Kampala**

LIBERIA · Yamusukro · **Lomé** · **Porto** · Warri · Port Harcourt · **Malabo** · **Yaundé** · Bata · Quessó · Masaka · **KE**

Greenville · Abidjan · Sekondi-Takoradi · **Accra** · **Novo** · **GUINEA ECUATORIAL** · **Libreville** · Owando · **REPÚBLICA DEMOCRÁTICA DEL CONGO** · **Kigali** · **RUANDA** · Jinja · Nakuru

San Pedro · Golfo de Guinea · **SANTO TOMÉ Y PRÍNCIPE** · Lambaréné · **GABÓN** · Mouila · **CONGO** · **Kigali** · **BURUNDI** · Kigoma

Santo Tomé · Port-Gentil · Tchibanga · Mosenyo · Luobomo · **Brazzaville** · Maladi · Kikuit · **Bujumbura** · Tabora

(GUINEA ECUATORIAL) · **Kinshasa** · Kananga · **TANZANIA** · **Dodoma** · Iringa

OCÉANO ATLÁNTICO · Pointe Noire · Cabinda · Boma · M'Banza Congo · Tshikapa · **Mbuji-Mayi** · Arusha · Mor

(ANGOLA) · Luóbomo · Uíge · Lucapa · Kamina · Kasama · Mbeya

Luanda · Malanje · Saurimo · Kolwezi · Lubumbashi · Mzuzu

Golfo de Benguela · Kuito · Luena · Chingola · Mufulira · Chipata · **MALAUI** · **Lilongwe**

Lobito · Benguela · **ANGOLA** · Luanshya · Kitwe · Ndola · **Blantyre**

Namibe · Lubango · Mongu · **ZAMBIA** · Kabwe · Tete · Mor

Isla Santa Helena (REINO UNIDO) · Livingstone · **Lusaka** · **MOZAMBIQUE**

Tsumeb · Rundu · **Harare** · Quelimane

Grootfontein · **ZIMBABUE** · Beira

Maun · **Bulawayo**

NAMIBIA · **BOTSUANA** · Inhambane

Walvis Bay · **Windhoek** · Selebi Pikué · Xai Xai

Rehoboth · Serowe · **Gaborone** · **Pretoria** · **Maputo**

Keetmanshoop · Johannesburgo · Springs · **Mbabane**

Lüderitz · Soweto · Vereeniging · **SUAZILANDIA**

Kimberley · **Bloemfontein** · **Maseru** · Pietermaritzburg

REPÚBLICA DE SUDÁFRICA · **LESOTO** · Durban

Newcastle

Ciudad del Cabo · East London

Port Elizabeth

Trópico de Cáncer

Meridiano de Greenwich

0 · 500 · 1000 · 1500 · 2000 km

Curtiduría de al-Chauara. Los pellejos de oveja, cordero, camello o dromedario se tiñen en tinas profundas en esta tenería de la ciudad marroquí de Fez. Pronto se transformarán en los artículos de cuero que han dado fama a Marruecos.

En el desierto del Kalahari (Namibia) habita la tribu de los *bushman*. Se caracteriza por ser un pueblo fundamentalmente cazador.

✷ ¿Sabías que por los fósiles hallados en el Gran Valle del Rift se revela que la raza humana se originó en este continente? Todos compartimos un pasado africano.

Poblado en Uganda. Las chozas rurales se construyen con los materiales disponibles: adobe (barro seco) y hojas de palmera. Tienen gruesas paredes y ventanas pequeñas para mantenerlas frescas.

El continente africano estuvo habitado desde siempre, aunque no era demasiado conocido; por eso lo llamaban el **continente misterioso.** Los primeros en tratar de desvelar sus misterios fueron los navegantes portugueses que, en su búsqueda de una ruta marítima hacia la India, recorrieron el cabo de Buena Esperanza.

Poco a poco, marineros europeos fueron acercándose a África, sobre todo para capturar **esclavos** (esclavitud), en su mayoría procedentes de países situados en la costa. En el siglo XIX, los países europeos se fueron adueñando de las regiones más ricas de África. A ello contribuyeron las expediciones de exploradores como David Livingstone, que se adentró en África.

Se crearon **colonias** (colonialismo) y se introdujeron modos de vida muy diferentes a los que allí existían. Muchos países europeos se enriquecieron explotando las tierras y adueñándose de los recursos de África.

A partir de 1960, los pueblos africanos reclamaron su **independencia** y comenzaron a gobernarse a sí mismos, tarea nada fácil porque la ocupación extranjera había propiciado aleatorios trazados de frontera y consecuentes enfrentamientos entre tribus. Esto ha provocado y sigue provocando muchas guerras y conflictos entre los diferentes pueblos.

ÁFRICA
CULTURAL

Grandes grupos lingüísticos

- Malgache
- Camítica
- Germánica
- Khoisán
- Bantú
- Semítica (árabe, bereber)
- Sudanesa

Religiones

- † Catolicismo
- ☪ Islam

Raza

- 🙂 Blanca
- 🙂 Blanca india
- 🙂 Mestiza
- 🙂 Mulata
- 🙂 Negra

Idioma oficial o predominante

- 🏴 Español
- 🏴 Francés
- 🏴 Inglés
- 🏴 Portugués
- ☪ Árabe

Mar Mediterráneo

MARRUECOS ⑤

TÚNEZ

③

Canarias
(ESPAÑA)

ARGELIA

LIBIA

EGIPTO

OCÉANO
ATLÁNTICO

SAHARA
OCCIDENTAL

⑦

MAURITANIA

MALÍ

NÍGER

CHAD

SUDÁN

ERITREA

Mar Rojo

CABO VERDE

SENEGAL

GAMBIA

GUINEA-
BISAU

GUINEA

BURKINA FASO

BENÍN

NIGERIA

⑥

SUDÁN
DEL SUR

SIERRA
LEONA

GHANA

TOGO

ETIOPÍA

LIBERIA

COSTA DE
MARFIL

REPÚBLICA
CENTROAFRICANA

CAMERÚN

Golfo de Guinea

GUINEA
ECUATORIAL

CONGO

④

UGANDA

KENIA

②

SANTO TOMÉ
Y PRÍNCIPE

GABÓN

RUANDA

BURUNDI

OCÉANO
ATLÁNTICO

REPÚBLICA
DEMOCRÁTICA
DEL CONGO

TANZANIA

①

Isla Santa Helena
(REINO UNIDO)

ANGOLA

MALAUI

ZAMBIA

ZIMBABUE

MOZAMBIQUE

Canal de Mozambi

NAMIBIA

BOTSUANA

SUAZILANDIA

REPÚBLICA DE
SUDÁFRICA

LESOTO

OCÉA

Las **mujeres africanas** tienen un gran sentido de la elegancia. Sus medios son escasos, pero su imaginación resplandece por todas partes. Los vestidos, los adornos y la manera de pintarse la cara y el cuerpo cambian según su religión o la tribu a la que pertenecen.

Golfo de Adén

ALILAND

PUNTLAND

CÉANO
NDICO

SEYCHELLES

AGASCAR

MAURICIO

Reunión
(FRANCIA)

DICO

(2) Guerreros masái bailando danza tradicional (Kenia). Los masái viven en asentamientos llamados *manyattas*, chozas construidas a base de excrementos de animales, paja y barro. Son nómadas pero se han visto obligados a participar en la economía, dedicándose de nuevo a la agricultura. La familia es la unidad básica y el ganado simboliza el poder y la riqueza.

(3) Leptis Magna (Libia). Fue una célebre ciudad africana a orillas del mar Mediterráneo, llegando a ser una de las principales de su tiempo. Es patrimonio de la humanidad y sus ruinas son consideradas las más impresionantes del Imperio romano.

(4) Máscara africana. Las diferentes etnias que pueblan África hacen usos bien distintos de las máscaras, que pueden ir desde el carácter funerario al cómico. El material más empleado para su fabricación es la madera, seguido del latón, el bronce, la tela, etc.

(5) Djema-el-Fna de Marrakech es una de las plazas más famosas del mundo. Su atractivo radica en sus gentes y sus costumbres. Fue declarada patrimonio cultural universal en 2001.

(6) La *kora* es un instrumento musical africano compuesto por 21 cuerdas de diferentes grosores, hecha de calabaza y piel de vaca. Está muy extendida en África occidental.

(7) Templo de Ramsés II, en Abu Simbel (Egipto). Excavado totalmente en la roca, cuatro estatuas monumentales sedentes de Ramsés II dominan desde su perspectiva el discurrir del río.

Existen dos zonas culturales muy diferenciadas en este continente: el **Magreb**, en la costa mediterránea, y el **África subsahariana** o **negra.** El Magreb es una región que ha recibido muchas influencias europeas y asiáticas en oposición al interior, que ha permanecido más aislado. Algunas importantes civilizaciones antiguas, muy influyentes en la historia, se desarrollaron en el norte de África, como la **egipcia** y la **cartaginense**. También esas zonas pertenecieron al Imperio romano y, más tarde, recibieron la influencia musulmana (**islam**), dejando impresionantes muestras de arte en esos estilos. Las diferentes creencias religiosas han determinado las formas artísticas. Los animistas piensan que, tras la muerte, los espíritus quedan libres y pueden hacer daño a los vivos, por lo que tallaban estatuillas en las que quedaban sujetos los espíritus de los antepasados difuntos a los que se rendía culto en el hogar. Hasta la I Guerra Mundial, todo el norte de África pertenecía al Imperio turco, pero la debilidad de este y la ambición de los europeos dieron lugar a su destrucción.

El **África subsahariana o negra** se llama así por el color de la piel de sus habitantes, y es una zona ajena al discurrir de la historia universal. La dificultad de penetración al interior de su territorio fue manifiesta hasta la llegada de los colonizadores, con los portugueses a la cabeza, en el siglo XV.

África presenta una gran variedad lingüística, calculándose aproximadamente que en su territorio se hablan unas 800 **lenguas**. En las antiguas colonias son oficiales lenguas europeas como el inglés, francés, portugués y español. En la República de Sudáfrica (Organización para la Unidad Africana) se habla el afrikáans, de origen holandés.

ÁFRICA
ECONÓMICA

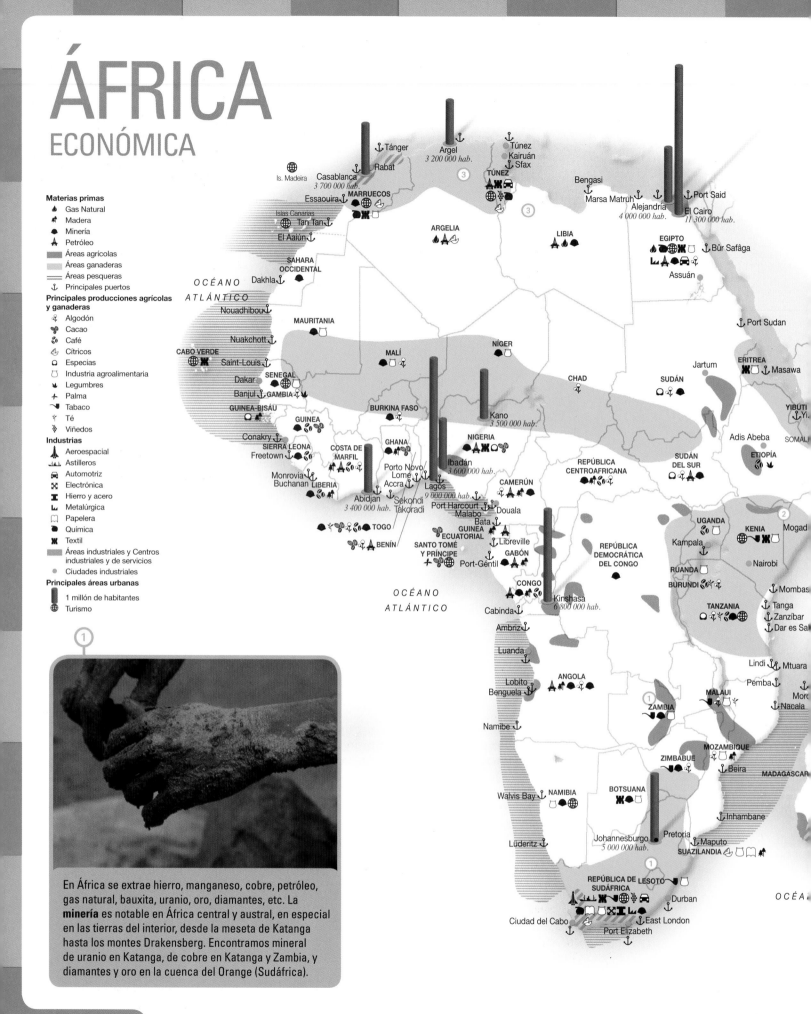

Materias primas
- 🔥 Gas Natural
- 🌲 Madera
- ⛏ Minería
- ⛽ Petróleo
- ▬ Áreas agrícolas
- ▬ Áreas ganaderas
- ≈ Áreas pesqueras
- ⚓ Principales puertos

Principales producciones agrícolas y ganaderas
- Algodón
- Cacao
- Café
- Cítricos
- Especias
- Industria agroalimentaria
- Legumbres
- Palma
- Tabaco
- Té
- Viñedos

Industrias
- Aeroespacial
- Astilleros
- Automotriz
- Electrónica
- Hierro y acero
- Metalúrgica
- Papelera
- Química
- Textil
- ▬ Áreas industriales y Centros industriales y de servicios
- ● Ciudades industriales

Principales áreas urbanas
- ▮ 1 millón de habitantes
- 🌐 Turismo

En África se extrae hierro, manganeso, cobre, petróleo, gas natural, bauxita, uranio, oro, diamantes, etc. La **minería** es notable en África central y austral, en especial en las tierras del interior, desde la meseta de Katanga hasta los montes Drakensberg. Encontramos mineral de uranio en Katanga, de cobre en Katanga y Zambia, y diamantes y oro en la cuenca del Orange (Sudáfrica).

OCÉANO ATLÁNTICO

Is. Madeira

Tánger
Rabat
Casablanca
3 700 000 hab.
Essaouira
MARRUECOS
Islas Canarias
Tan Tan
El Aaiún
SAHARA OCCIDENTAL
Dakhla

Argel
3 200 000 hab.
ARGELIA

Túnez
Kairuán
Sfax
TÚNEZ

LIBIA

Bengasi
Marsa Matruh
Alejandría
4 000 000 hab.
Port Said
El Cairo
11 300 000 hab.
EGIPTO
Bûr Safâga
Assuán

Nouadhibou
MAURITANIA
Nuakchott
CABO VERDE
Saint-Louis
Dakar
SENEGAL
Banjul GAMBIA
GUINEA-BISÁU
GUINEA
Conakry
SIERRA LEONA
Freetown
Monrovia
Buchanan LIBERIA
Abidjan
3 400 000 hab.
Sekondi
Takoradi
COSTA DE MARFIL
GHANA
Porto Novo
Lome
Accra
TOGO
BENÍN

MALÍ

NÍGER

CHAD

BURKINA FASO

NIGERIA
Ibadán
3 600 000 hab.
Lagos
9 000 000 hab.
Port Harcourt
Malabo
Bata
GUINEA ECUATORIAL
SANTO TOMÉ Y PRÍNCIPE
Kano
3 500 000 hab.

Douala
CAMERÚN
Libreville
GABÓN
Port-Géntil
CONGO
Kinshasa
6 800 000 hab.
Cabinda
Ambriz
Luanda

SUDÁN
Jartum
SUDÁN DEL SUR
REPÚBLICA CENTROAFRICANA

REPÚBLICA DEMOCRÁTICA DEL CONGO

Port Sudan

ERITREA
Masawa
YIBUTI
Adis Abeba
ETIOPÍA
SOMAL

UGANDA
Kampala
RUANDA
BURUNDI
TANZANIA

KENIA
Mogad
Nairobi
Mombas
Tanga
Zanzíbar
Dar es Sa
Lindi
Mtuara
Pemba
Mor
Nacala

OCÉANO ATLÁNTICO

ANGOLA
Lobito
Benguela
Namibe
Walvis Bay
Lüderitz
NAMIBIA

ZAMBIA
ZIMBABUE
BOTSUANA
Johannesburgo
5 000 000 hab.
Pretoria

MALAUI
MOZAMBIQUE
Beira
Inhambane
Maputo
SUAZILANDIA
MADAGASCAR

REPÚBLICA DE LESOTO
SUDÁFRICA
Ciudad del Cabo
Durban
East London
Port Elizabeth

OCÉA

Ganadería en Kenia. La mayoría de la población africana vive de la agricultura que, igual que la ganadería, se practica aún en muchas regiones con métodos muy rudimentarios.

El hallazgo de **petróleo**, **gas natural** y **minerales** (hierro, cinc, fosfatos, uranio, manganeso, etc.) ha transformado la economía de Argelia y Libia. Su explotación ha originado cierto desarrollo industrial, pero también revueltas y conflictos por las escasas mejoras sociales.

SEYCHELLES
Victoria

OCÉANO
ÍNDICO
RES

MAURICIO

Saint-Denis   Port Louis

ICO

✴ El canal de Suez conecta el mar Rojo con el mar Mediterráneo y permite recortar distancias entre Europa y Asia. La apertura del canal de Suez convirtió a Egipto en el centro de la economía africana.

África es quizá el continente más rico del planeta. En su subsuelo se encuentra una enorme cantidad de recursos naturales, a pesar de que su economía se basa fundamentalmente en la agricultura y ganadería, eje de su sustento.

El escaso desarrollo económico de África es consecuencia de su **dependencia colonial**, ya que las metrópolis de las que dependía convirtieron el continente en mero proveedor de materias primas y mano de obra, y al mismo tiempo en receptor de productos manufacturados. La enorme **deuda externa** lo hace depender totalmente de las inversiones extranjeras.

Sin embargo, es el **mayor productor mundial** de caña de azúcar y tiene importantes cultivos de cacao, café, té y algodón.

Los **recursos mineros** proporcionan más del 90% de la producción mundial de diamantes (Sudáfrica) y más del 50% de oro (Sudáfrica y Zimbabue). Son importantes los yacimientos de cobre de la República Democrática del Congo y Zimbabue. El principal productor de coltán es la República Democrática del Congo con el 80% de las reservas mundiales. El coltán es esencial para el desarrollo de las nuevas tecnologías (teléfonos móviles, computadoras, televisores, videoconsolas, MP3, etc.). Los grandes yacimientos petrolíferos que hay en el Sahara argelino y libio han hecho posible la transformación de algunas regiones septentrionales.

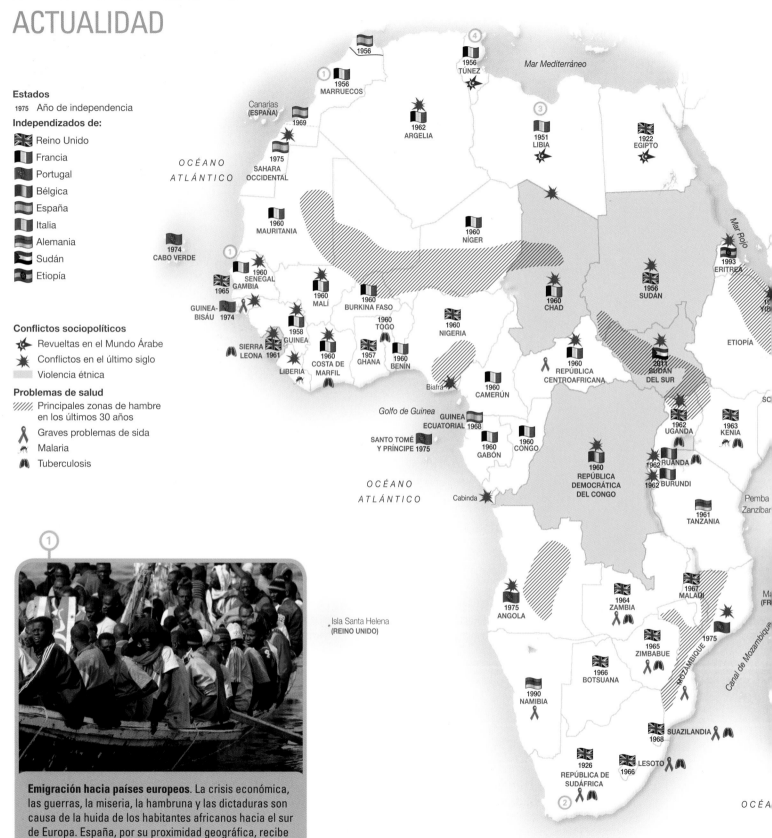

Estados

1975 Año de independencia

Independizados de:

- Reino Unido
- Francia
- Portugal
- Bélgica
- España
- Italia
- Alemania
- Sudán
- Etiopía

Conflictos sociopolíticos

- Revueltas en el Mundo Árabe
- Conflictos en el último siglo
- Violencia étnica

Problemas de salud

- Principales zonas de hambre en los últimos 30 años
- Graves problemas de sida
- Malaria
- Tuberculosis

Canarias (ESPAÑA)

OCÉANO ATLÁNTICO

1956 MARRUECOS

1956

1969

1975 SAHARA OCCIDENTAL

1962 ARGELIA

1956 TÚNEZ

Mar Mediterráneo

1951 LIBIA

1922 EGIPTO

1974 CABO VERDE

1960 MAURITANIA

1960 NÍGER

1960 SENEGAL
GAMBIA 1965

GUINEA-BISÁU 1974

1960 MALÍ

1960 BURKINA FASO

1960 CHAD

1956 SUDÁN

Mar Rojo

1993 ERITREA

1958 GUINEA

SIERRA LEONA 1961

LIBERIA

1960 COSTA DE MARFIL

1957 GHANA

1960 TOGO

1960 BENÍN

1960 NIGERIA

Biafra

ETIOPÍA

Golfo de Guinea

1960 CAMERÚN

1960 REPÚBLICA CENTROAFRICANA

2011 SUDÁN DEL SUR

GUINEA ECUATORIAL 1968

SANTO TOMÉ Y PRÍNCIPE 1975

1960 GABÓN

1960 CONGO

1960 REPÚBLICA DEMOCRÁTICA DEL CONGO

1962 UGANDA

1963 KENIA

1962 RUANDA

1962 BURUNDI

OCÉANO ATLÁNTICO

Cabinda

1961 TANZANIA

Pemba
Zanzíbar

Isla Santa Helena (REINO UNIDO)

1975 ANGOLA

1964 ZAMBIA

1967 MALAUI

1965 ZIMBABUE

1975

MOZAMBIQUE

Canal de Mozambique

1990 NAMIBIA

1966 BOTSUANA

1968 SUAZILANDIA

1926 REPÚBLICA DE SUDÁFRICA

1966 LESOTO

OCÉA

Emigración hacia países europeos. La crisis económica, las guerras, la miseria, la hambruna y las dictaduras son causa de la huida de los habitantes africanos hacia el sur de Europa. España, por su proximidad geográfica, recibe un gran número de ellos.

Estadio Soccer City en Johannesburgo, Sudáfrica. En 2010, se celebró por primera vez en el continente africano un Mundial de Fútbol. El estadio albergó, el 11 de junio de 2010, el partido inaugural del campeonato entre la selección del país anfitrión y la selección de México.

Libia. A comienzos de 2011, la policía dispersa una manifestación opositora al régimen en Bengasi, la segunda ciudad del país y bastión de los opositores al régimen. El Consejo de Seguridad de la ONU sanciona a Gadafi y a sus allegados. Tras ocho meses de conflicto y 42 años en el poder, Gadafi muere el 20 de octubre de ese mismo año.

Revolución de los jazmines. Los problemas políticos surgidos en Túnez a inicios de 2011 provocaron una oleada de revueltas populares que contagiaron al resto de países del Magreb y Próximo Oriente.

✴ ¿Sabías que Liberia y Etiopía son los únicos países de África que nunca han sido colonizados?

El continente africano es la zona del mundo más golpeada por las **guerras**. En la década de los noventa del pasado siglo, 32 de los 54 países que forman el continente sufrieron algún tipo de conflicto armado. Durante estos últimos años ha habido imágenes aterradoras de las consecuencias de estas guerras: genocidios como el que vivió Ruanda y guerras civiles sangrientas como las de Angola, Mozambique, el Congo o la más reciente de Libia han marcado la historia oscura de África.

Durante buena parte del siglo XX, en Sudáfrica se desarrolló el ***apartheid***, sistema de segregación racial que impusieron los dirigentes políticos de los coaligados Partido Nacionalista y Partido Afrikáans. El *apartheid*, instaurado con una ley del año 1950 y abolido en 1994, crea 10 bantustanes o reservas tribales. Según ello, bancos de plazas, playas, hospitales, escuelas y autobuses eran objeto de este terrible acto de discriminación, no pudiéndose usar por las personas de raza negra o afroamericana. **Nelson Mandela** fue el primer presidente de Sudáfrica en ser elegido por medios democráticos mediante sufragio universal.

(contenido del margen izquierdo – fragmento de mapa)

fo
dén

LAND
NTLAND

*OCÉANO
ÍNDICO*

1976
SEYCHELLES

RES

0
DAGASCAR

1968
MAURICIO

Reunión
(FRANCIA)

DICO

ÁFRICA

SEPTENTRIONAL y el MAGREB

Argelia
Chad
Egipto
Gambia
Libia
Malí
Marruecos
Mauritania
Níger
Senegal
Sudán
Túnez

Sahara Occ. (MA)

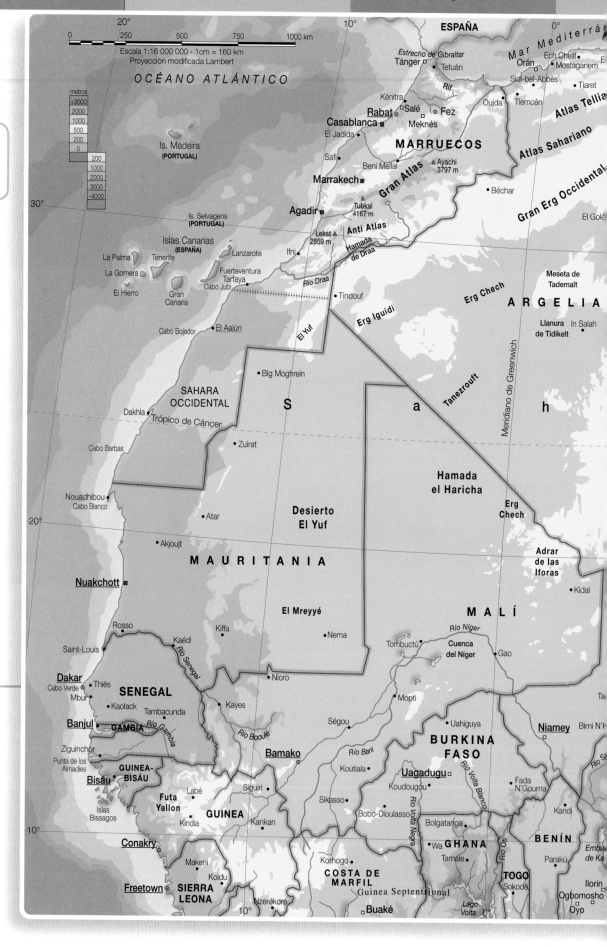

A   B   C

0   250   500   750   1000 km
Escala 1:16 000 000 - 1cm = 160 km
Proyección modificada Lambert

20°   10°   0°

ESPAÑA

Mar Mediterrá

OCÉANO ATLÁNTICO

Estrecho de Gibraltar
Tánger   • Tetuán
Rabat ⊙   Salé   ◦ Fez
Casablanca ■   Meknés
El Jadida •

Orán   Ech Chelif
Sidi-bel-Abbès   • Mostaganem
Oujda   • Tiaret
Tlemcén
Rif
Kénitra

Safi •   Beni Mellal •   ▲ Ayachi
MARRUECOS   3797 m
Marrakech •   *Gran Atlas*
Agadir ◦   ▲ Tubkal   • Béchar
4167 m   *Atlas Tellia*
Lekst ▲   *Anti Atlas*   *Atlas Sahariano*
2859 m   *Hamada*
de Draa   *Gran Erg Occidental*
Ifni •   El Golé •

metros
+3000
2000
1000
500
200
0

200
1000
2000
3000
-4000

Is. Madeira
(PORTUGAL)

30°

Is. Selvagens
(PORTUGAL)

Islas Canarias
(ESPAÑA)
La Palma   Lanzarote
Tenerife   Fuerteventura
La Gomera   Tarfaya
El Hierro   Gran
Canaria   Cabo Jubi

Río Draa
• Tindouf

Erg Chech   **A R G E L I A**
Erg Iguidi

Meseta de
Tademaït

Cabo Bojador •   • El Aaiún
El Yuf

Llanura   In Salah
de Tidikelt

S   a   *Tanezrouft*   h

SAHARA
OCCIDENTAL

Dakhla ⊙   Trópico de Cáncer

• Big Moghrein

Meridiano de Greenwich

Cabo Barbas •

• Zuirat

Hamada
el Haricha

Erg
Chech

Nouadhibou •
Cabo Blanco

Desierto
El Yuf

Adrar
de las
Iforas

• Atar

• Akjoujt

M A U R I T A N I A

• Kidal

20°

Nuakchott ▣

El Mreyyé

M A L Í

Rosso •   Kiffa •   • Nema
Saint-Louis •   Kaédi •

Río Níger
Tombuctú •   Cuenca   • Gao
del Níger

Dakar ⊙   • Thiés
Cabo Verde •   **SENEGAL**   • Nioro
Mbur •
• Kaolack   • Nioro
Banjul ⊙   Tambacunda •   Kayes •
GAMBIA   *Río Gambia*   Ségou •
Ziguinchor •   *Río Booulé*   *Río Bani*   **Niamey**   Birni N'K
Punta de los   **GUINEA-**   **Bamako** ◉
Almadíes   **BISÁU**   Koutiala •   **BURKINA**
Bisáu ⊙   Labé •   Siguiri •   Sikasso •   **FASO**
Islas   **Futa**   Kindia •   Bobo-Dioulasso •   **Uagadugú**
Bissagos   **Yallon**   **GUINEA**   Koudougou •
Kankan •   Bolgatanga •   Fada
N'Gourna •

Uahiguya •   Kandi •

• Wa   **GHANA**   **BENÍN**
Conakry ⊙   Korhogo •   Tamále •   Paraku •   Emba
Makeni •   de Ka
10°   Koidu •   **COSTA DE**   Sokodé •   Ilorin •
Freetown ⊙   **SIERRA**   **MARFIL**   Guinea Septentrional   **TOGO**   Ogbomosho •
LEONA   Nzerékoré •   10°   • Buaké   Lago   Oyo •
Volta

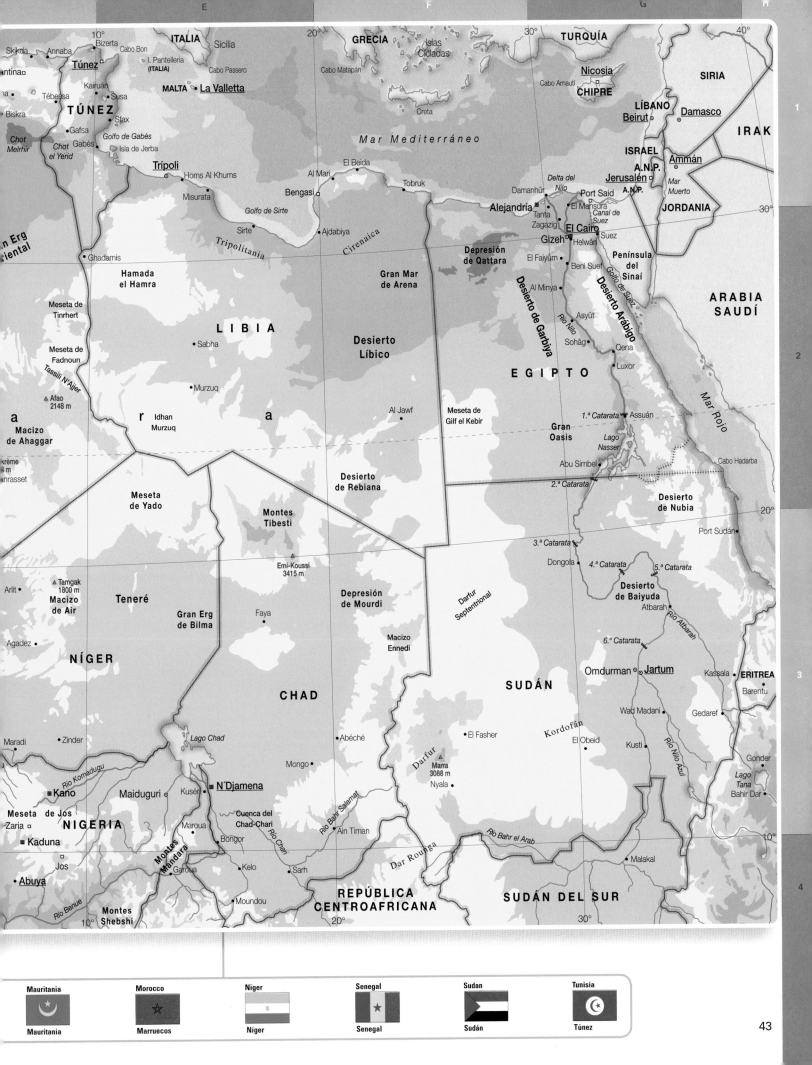

Skikda · Annaba · Bizerta 10° ·
ITALIA Sicilia Cabo Bon
I. Pantelleria (ITALIA) Cabo Passero

Túnez
Kairuán · Susa
TÚNEZ · Gafsa · Sfax
Tébessa
Biskra
Chot Melrhir
Chot el Yerid Gabès · Isla de Jerba Golfo de Gabès

MALTA · La Valletta

GRECIA 20° Islas Cícladas

Mar Mediterráneo

Creta Cabo Matapán

30° TURQUÍA

Cabo Arnauti Nicosia
CHIPRE

SIRIA

40°

LÍBANO
Beirut · Damasco

ISRAEL
A.N.P.
Jerusalén Mar Muerto
A.N.P.

IRAK

JORDANIA Ammán

30°

Trípoli Homs Al Khums
Misurata
Sirte Golfo de Sirte
Ghadamis

El Beida
Al Marj Tobruk
Bengasi
Ajdabiya
Tripolitania Cirenaica

Delta del Nilo Damanhûr
Alejandría Port Said
Tanta El Mansura
Zagazig Canal de Suez
El Cairo Suez
Gizeh Helwân
El Faiyûm Beni Suef
Depresión de Qattara

Gran Mar de Arena

Península del Sinaí Golfo de Suez

ARABIA SAUDÍ

n Erg riental
Meseta de Tinrhert

Hamada el Hamra

LIBIA

· Sabha

Meseta de Fadnoun
Tassili N'Ajjer
▲ Afao 2148 m

a Macizo de Ahaggar

r Idhan Murzuq

· Murzuq

Al Jawf ·

Desierto Líbico

Meseta de Gilf el Kebir

Desierto de Garbiya
Al Minya
Río Nilo
Asyût
Sohâg ·
Qena
Luxor

EGIPTO

Gran Oasis
1.ª Catarata · Assuán
Lago Nasser
Abu Simbel

Mar Rojo
Cabo Hadarba

2.ª Catarata

20°

a

Desierto de Rebiana

Gran Oasis

krème m nrasset

Meseta de Yado

Montes Tibesti

Emi-Koussi 3415 m

Depresión de Mourdi

Desierto de Nubia
Port Sudán

3.ª Catarata
Dongola 4.ª Catarata 5.ª Catarata

Desierto de Baiyuda

· Arlit
▲ Tamgak 1800 m
Macizo de Air
Agadez

Teneré

Gran Erg de Bilma

Faya ·

Macizo Ennedi

Darfur Septentrional

Atbarah
Río Atbarah

6.ª Catarata

Kassala · ERITREA
· Barentu

NÍGER

CHAD

Omdurman · Jartum

SUDÁN

· Maradi · Zinder
Lago Chad
Río Komadugu

Abéché ·

· El Fasher

Kordofán

Wad Madani
· Gedaref

Gonder

Mongo ·

Darfur Marra 3088 m
Nyala ·

· El Obeid

Kusti

Lago Tana
Bahir Dar

· Kano
Maiduguri Kuséri
N'Djamena

Río Nilo Azul

Meseta de Jos
Zaria □ NIGERIA
· Kaduna
Jos

Maroua
Cuenca del Chad-Chari
Bongor

Río Chari

Río Bahr Salamat

Ain Timan

Río Bahr el Arab

Dar Rounga

Malakal ·

10°

· Abuya
Montes Shebshi 10°
Montes Mándara
Garoua Kelo
Río Benue Moundou Sarh

20° REPÚBLICA CENTROAFRICANA

30° SUDÁN DEL SUR

Mauritania
Mauritania

Morocco
Marruecos

Niger
Níger

Senegal
Senegal

Sudan
Sudán

Tunisia
Túnez

43

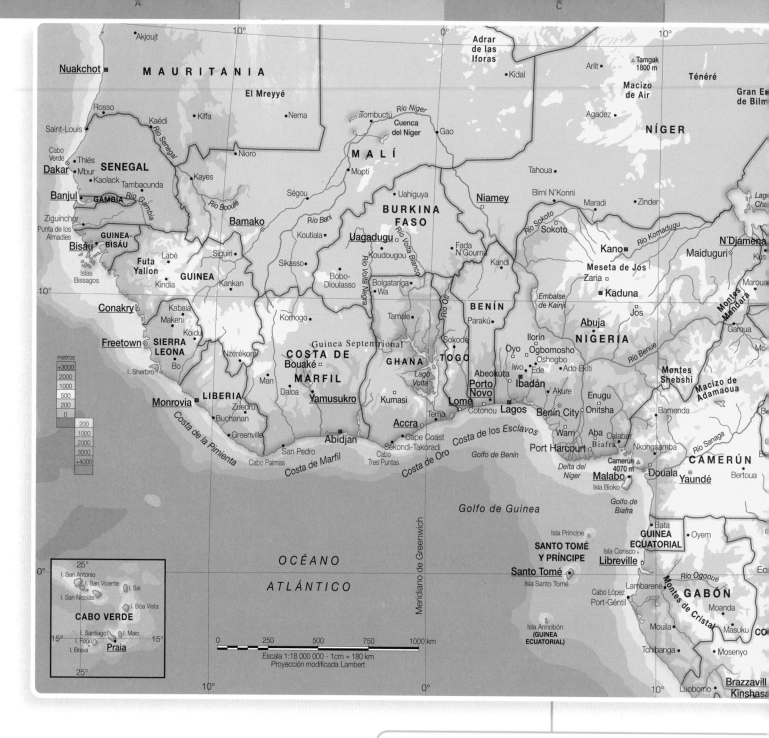

OCÉANO ATLÁNTICO

Golfo de Guinea

ÁFRICA

CENTRAL
Golfo de Guinea
África Ecuatorial
Cuerno de África

Benín	Eritrea
Burkina Faso	Etiopía
Burundi	Gabón
Cabo Verde	Ghana
Camerún	Guinea
Congo	Guinea-Bisáu
Costa de Marfil	Guinea Ecuatorial

Benín / Benín

Burkina Faso / Burkina Faso

Burundi / Burundi

Cameroon / Camerún

Cape Verde / Cabo Verde

Central African Republic / República Centroafricana

Congo / Congo

Democratic R. of the Congo / R.D. del Congo

Djibouti / Yibuti

Equatorial Guinea / Guinea Ecuatorial

Eritrea / Eritrea

Ethiopia / Etiopía

Gabon / Gabón

Ghana / Ghana

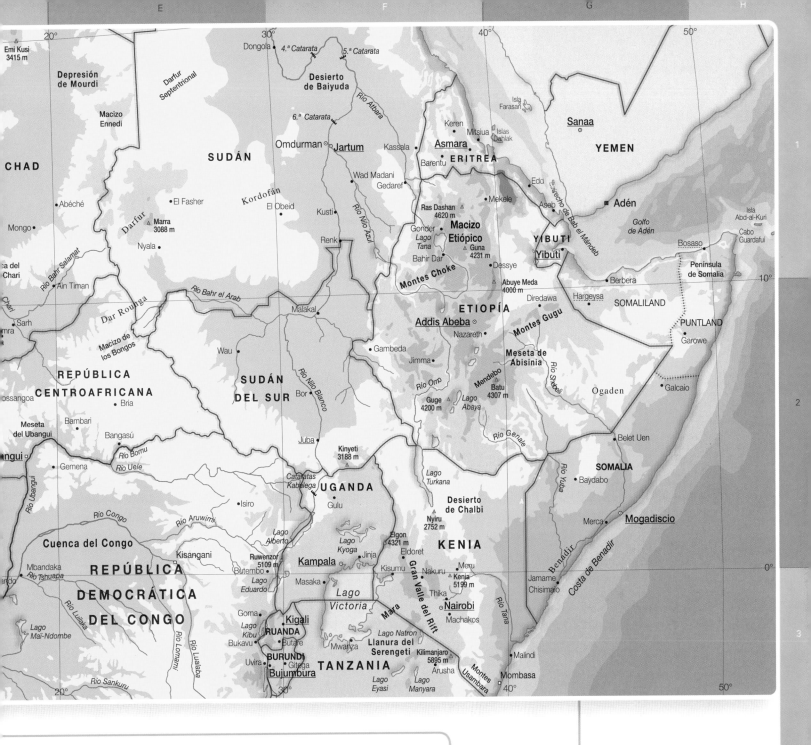

CHAD

Emi Kusi
3415 m

Depresión
de Mourdi

Macizo
Ennedi

Darfur
Septentrional

Desierto
de Baiyuda

Dongola

4.ª Catarata

5.ª Catarata

Río Atbara

6.ª Catarata

Omdurman

Jartum

Kassala

SUDÁN

Abéché

El Fasher

Kordofán

El Obeid

Wad Madani

Gedaref

Asmara

Keren

Mitsiua

Isla
Farasan

Islas
Dahlak

Sanaa

YEMEN

Barentu

ERITREA

Edd

Adén

Mongo

Marra
3088 m

Darfur

Nyala

Kusti

Renk

Río Nilo Azul

Ras Dashan
4620 m

Gonder

Lago
Tana

Bahir Dar

Mekele

Macizo
Etiópico

Guna
4231 m

Dessye

Montes Choke

Abuye Meda
4000 m

Aseb

Estrecho de Bab el Mándeb

Golfo
de Adén

Berbera

YIBUTI

Yibuti

Diredawa

Hargeysa

SOMALILAND

Bosaso

Isla
Abd-al-Kuri

Cabo
Guardafui

Península
de Somalia

Río Bahr Salamat

Aïn Timan

ca del
Chari

Sarh

mra

Chari

Dar Rouhga

Río Bahr el Arab

Malakal

Meseta del Ubangui

Bria

Bangasú

Río Bomu

Gemena

Río Uele

Wau

ETIOPÍA

Addis Abeba

Nazareth

Gambeda

Jimma

Montes Gugu

Meseta de
Abisinia

Mendebo

Batu
4307 m

Río Shebeli

Ogaden

PUNTLAND

Garowe

Galcaio

REPÚBLICA
CENTROAFRICANA

SUDÁN
DEL SUR

Bor

Río Nilo Blanco

Río Omo

Guge
4200 m

Lago
Abaya

Río Genale

Belet Uen

SOMALIA

Baydabo

Río Yuba

Meseta
del Ubangui

Bambari

Juba

Kinyeti
3188 m

ossangoa

ngui

Mbandaka

Río Tshuapa

Río Ubangui

Cuenca del Congo

Kisangani

Río Congo

Río Aruwimi

Cataratas
Kabalega

UGANDA

Gulu

Isiro

Lago
Alberto

Lago
Turkana

Desierto
de Chalbi

Nyiru
2752 m

Merca

Mogadiscio

REPÚBLICA
DEMOCRÁTICA
DEL CONGO

Butembo

Ruwenzori
5109 m

Lago
Eduardo

Masaka

Kampala

Jinja

Lago
Kyoga

Kisumu

Elgon
4321 m

Eldoret

Nakuru

KENIA

Meru

Kenia
5199 m

Gran Valle del Rift

Thika

Nairobi

Machakos

Benádir

Jamame

Chisimaio

Costa de Benadir

Lago
Maï-Ndombe

Río Lulonga

Río Lualaba

Río Lomami

Goma

Lago
Kibu

Bukavu

Kigali

RUANDA

Butare

Lago
Victoria

Mwanza

Mara

Lago Natron

Llanura del
Serengeti

Kilimanjaro
5895 m

Arusha

Malindi

Río Tana

Lago
Sankuru

BURUNDI

Uvira

Gitega

Bujumbura

TANZANIA

Lago
Eyasi

Lago
Manyara

Montes
Usambara

Mombasa

20°

30°

40°

50°

E

F

G

H

1

2

3

10°

0°

50°

20°

30°

40°

50°

Kenia	Sierra Leona
Liberia	Somalia
Nigeria	Sudán del Sur
Rep. Centroafricana	Togo
Rep. D. del Congo	Uganda
Ruanda	Yibuti
Santo Tomé y Príncipe	
	Ascensión (UK)

Guinea
Guinea

Guinea-Bissau
Guinea-Bisáu

Ivory Coast
Costa de Marfil

Kenya
Kenia

Liberia
Liberia

Nigeria
Nigeria

Rwanda
Ruanda

Sao Tome and
Principe
Santo Tomé y
Príncipe

Sierra Leone
Sierra Leona

Somalia
Somalia

Southern Sudan
Sudán del Sur

Togo
Togo

Uganda
Uganda

ÁFRICA

Los *himba* son un pueblo ganadero que habita en la región árida de Kunene (Namibia). Las mujeres untan pasta de polvo de ocre y grasa animal sobre su piel y cabello para protegerse de la luz solar. Añaden además unas hierbas aromáticas para disimular el olor.

Vista aérea de las cataratas Victoria. El río Zambeze se precipita con furia en las cataratas Victoria, entre la frontera de Zimbabue y Zambia, levantando una gran nube de espuma. Descubiertas por David Livingstone (1855), las bautizó con el nombre de la reina Victoria de Inglaterra.

Twyfelfontein (Namibia) es patrimonio mundial desde 2007. Es un lugar caracterizado por sus **petroglifos**, que son representaciones gráficas grabadas en rocas o piedras hechas por nuestros antepasados prehistóricos.

Baobabs en la isla de Madagascar. El inmenso árbol tiene el tronco en forma de botella. Sus fibras internas son capaces de absorber la humedad de la tierra. Este abastecimiento de agua le permite sobrevivir a las sequías.

¿Sabías que Anse Lazio, en las **islas Seychelles**, es considerada como una de las mejores playas del mundo? Arena blanca, aguas turquesas, palmeras y árboles *takanaka* son las notas características de esta playa.

Angola

Angola

Botswana

Botsuana

Comoros

Comores

Lesotho

Lesoto

Madagascar

Madagascar

Malawi

Malaui

Mauritius

Mauricio

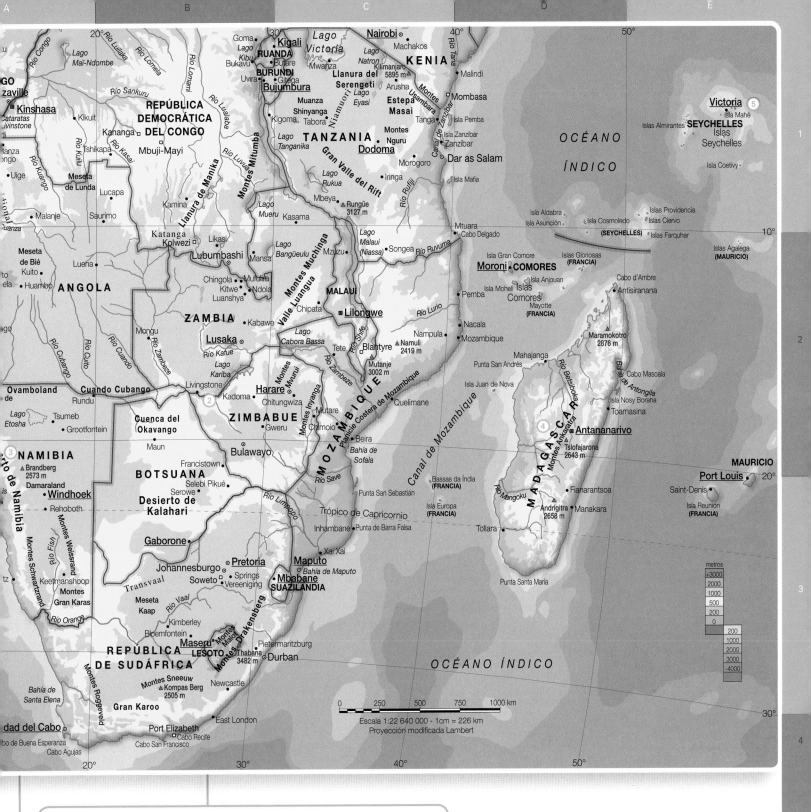

El Gran Valle del Rift es una fractura geológica que atraviesa casi toda África.

Angola
Botsuana
Comores
Lesoto
Madagascar

Malaui
Mauricio
Mozambique
Namibia
Rep. de Sudáfrica

Seychelles
Suazilandia
Tanzania
Zambia
Zimbabue

 Mozambique — Mozambique

 Namibia — Namibia

 South Africa, Republic of — Rep. de Sudáfrica

 Seychelles — Seychelles

 Swaziland — Suazilandia

 Tanzania — Tanzania

 Zambia — Zambia

 Zimbabwe — Zimbabue

AMÉRICA
FÍSICA

Superficie:
42 028 106 km²
Habitantes:
910 000 000
Punto más elevado:
Aconcagua (Argentina) 6959 m
Punto más bajo:
Valle de la Muerte (EE. UU.),
86 m bajo el nivel del mar
Río más largo:
Amazonas 6800 km
Lago más grande:
Superior (EE. UU.) 84 131 km²
País más grande:
Canadá
País más pequeño:
San Cristóbal y Nieves

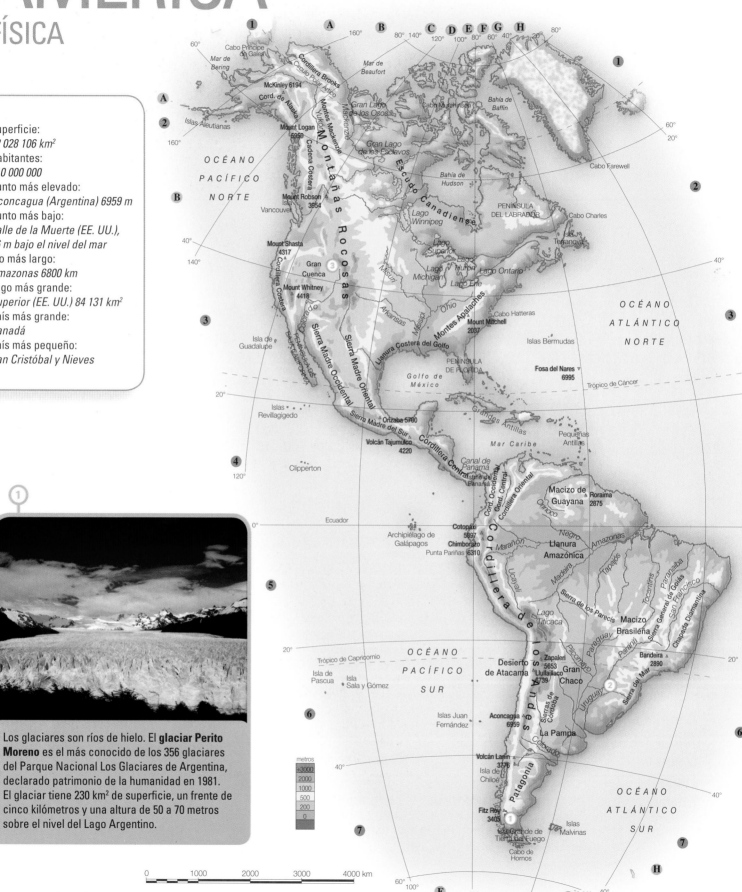

1

Los glaciares son ríos de hielo. El **glaciar Perito Moreno** es el más conocido de los 356 glaciares del Parque Nacional Los Glaciares de Argentina, declarado patrimonio de la humanidad en 1981. El glaciar tiene 230 km² de superficie, un frente de cinco kilómetros y una altura de 50 a 70 metros sobre el nivel del Lago Argentino.

metros
+3000
2000
1000
500
200
0

0   1000   2000   3000   4000 km

Cataratas de Iguazú (*Iguazú*, en idioma guaraní, significa «agua grande»). Están consideradas una de las bellezas naturales más maravillosas del planeta y forman parte del patrimonio natural de la humanidad. El Iguazú es un río de Brasil de 1230 km de longitud; nace en la Serra do Mar y desagua en el río Paraná, en la frontera entre Argentina, Brasil y Paraguay. Allí se forman estas espectaculares cataratas, con 275 saltos que superan los 70 metros de altura.

Gran Cañón del Colorado. El río Colorado ha erosionado esta hendidura en la superficie de la Tierra, ejemplo primordial de erosión fluvial, atravesando el desierto de Arizona (EE. UU.). Tiene una longitud de 350 km, y en algunos lugares llega a tener 20 km de ancho y hasta 2 km de profundidad. El Gran Cañón es Parque Nacional de EE. UU. y fue declarado patrimonio de la humanidad en 1979.

 La cordillera de los Andes, la más larga de la Tierra, se extiende de norte a sur del continente americano durante 7250 kilómetros.

América es un continente formado por dos grandes bloques situados entre el océano Atlántico y el océano Pacífico, unidos por el **istmo de Panamá**, una estrecha franja de tierra que ocupa prácticamente todo el territorio de Panamá y un conjunto de islas que integran América Central y el mar Caribe. Tiene una extensión de 42 millones de km² y se extiende desde el océano Glaciar Ártico, por el norte, hasta el cabo de Hornos, en el sur.

El continente americano presenta una enorme variedad de paisajes: llanuras de escasa elevación, como el **escudo canadiense**, cuya superficie ha sido erosionada por los glaciares; altas y largas cordilleras, como la de los Andes; extensas llanuras como **La Pampa** argentina; áreas de vegetación densa, como la **selva virgen del Amazonas** en América del Sur; o áridos **desiertos**, como los de América del Norte, y Atacama, en América del Sur.

Las costas bañadas por el océano Atlántico suelen ser bajas y suaves; y las del Pacífico, altas y acantiladas debido a la proximidad de las cadenas montañosas con respecto al mar.

El **río Amazonas** es el más largo y caudaloso del mundo, y sus afluentes forman una amplia cuenca: la Amazonia, región de clima cálido y húmedo, cubierta por una densa vegetación ecuatorial.

América se extiende desde muy cerca del Polo Norte hasta las tierras frías del hemisferio sur, dándose por tanto en el continente americano todos los **climas**.

En América del Sur, cada una de las llanuras extensas que no tienen vegetación arbórea reciben el nombre de *pampa*.

AMÉRICA
POLÍTICA

1 Islas Caimán (Reino Unido) - George Town
2 Islas Turcas y Caicos (Reino Unido) - Cockburn Town
3 Islas Vírgenes (EE. UU.) - Charlotte Amalie
4 Islas Vírgenes (Reino Unido) - Road Town
5 Anguila (Reino Unido) - The Valley
6 San Martín - **Philipsburg**
7 San Cristóbal y Nieves - **Basse Terre**
8 Montserrat (Reino Unido) - Plymouth
9 Antigua y Barbuda - **Saint John's**
10 Guadalupe (Francia) - Basse-Terre
11 Dominica - **Roseau**
12 Martinica (Francia) - Fort-de-France
13 Santa Lucía - **Castries**
14 San Vicente y las Granadinas - Kingstown
15 Barbados - **Bridgetown**
16 Granada - **Saint George's**
17 Trinidad y Tobago - **Puerto España**
18 Curasao - Willemstad
19 Aruba - Oranjestad

Barack Hussein Obama es el cuadragésimo cuarto presidente de Estados Unidos de América. Premio Nobel de la Paz en 2009 por sus esfuerzos diplomáticos en el desarme nuclear, la paz en Oriente Próximo y el fomento de la lucha contra el cambio climático.

Los incas de Perú construyeron una población, **Machu Picchu** ('Montaña Vieja'), que supuestamente sirvió como residencia de descanso al primer emperador inca y, también, como santuario religioso. Fue redescubierta por el arqueólogo estadounidense Hiram Bingham y es considerada una gran obra arquitectónica y de ingeniería. Situada a 2350 metros de altitud, la ciudad consta de un recinto amurallado, con unos 150 edificios en el interior comunicados por escaleras y pasillos.

✳ ¿Sabes que la bandera de Estados Unidos tiene 13 líneas horizontales, que representan las 13 colonias que se rebelaron contra el poder británico, y 50 estrellas blancas que representan sus Estados?

✳ La Guerra de Secesión (1861-1865) es el nombre que se dio a la guerra civil de Estados Unidos. En ella se enfrentaron los Estados antiesclavistas del norte con los Estados agrícolas y esclavistas del sur.

El nombre de este continente deriva del cartógrafo y navegante italiano **Américo Vespucio**, quien realizó los primeros mapas de la región. Desde el punto de vista político, América se compone de tres subcontinentes: **América del Norte, América Central (istmo centroamericano) y Caribe** y **América del Sur.**

Los primeros habitantes de estas tierras se establecieron aquí hace más de 11 000 años, desarrollando culturas muy avanzadas, entre ellas las de los **incas**, **mayas**... Desaparecieron muchas de ellas en el siglo XVI, con la llegada de los conquistadores europeos.

El continente americano alberga una población muy variada, resultado de la mezcla de distintos grupos étnicos. Alcanza su población un total de más de 900 millones de habitantes, distribuidos de manera irregular y concentrándose la mayoría en las zonas costeras, donde se levantan grandes ciudades como la denominada megalópolis atlántica **BosWash**, que incluye varias áreas metropolitanas como Boston, Nueva York, Filadelfia, Baltimore y Washington, reuniendo una población aproximada de 50 millones de personas.

A causa de los diferentes orígenes de la población, las **lenguas** habladas son el español, portugués, francés, inglés y otros idiomas no europeos como el árabe, chino, japonés... También se conservan lenguas autóctonas como el aimara, quechua, etc.

AMÉRICA
CULTURAL

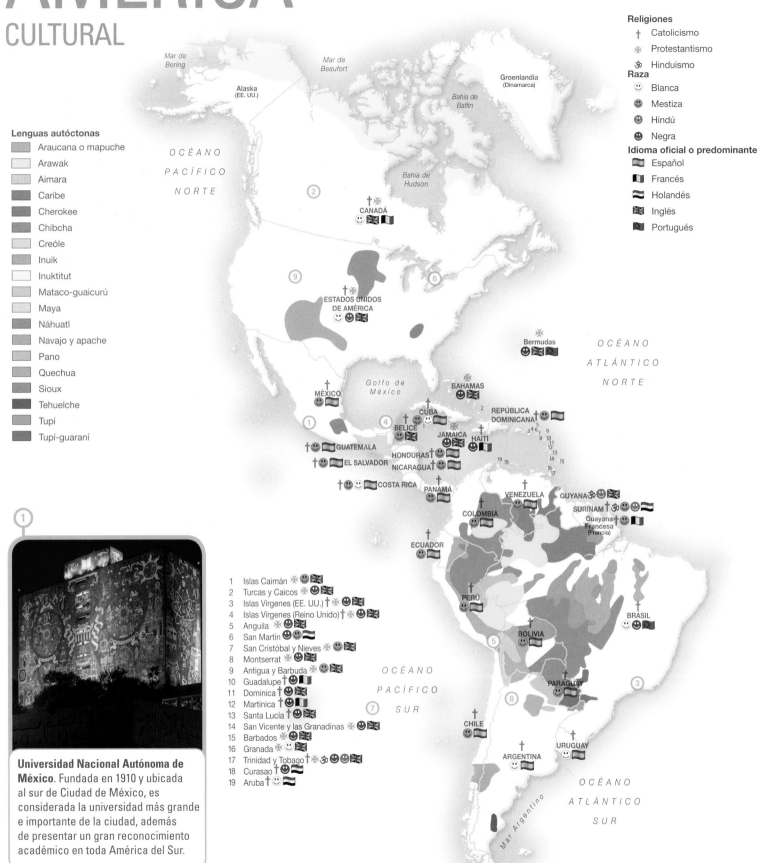

Religiones
- † Catolicismo
- ✳ Protestantismo
- ॐ Hinduismo

Raza
- ☺ Blanca
- ☺ Mestiza
- ☺ Hindú
- ☺ Negra

Idioma oficial o predominante
- 🏳 Español
- 🏳 Francés
- 🏳 Holandés
- 🏴 Inglés
- 🏳 Portugués

Lenguas autóctonas
- Araucana o mapuche
- Arawak
- Aimara
- Caribe
- Cherokee
- Chibcha
- Creóle
- Inuik
- Inuktitut
- Mataco-guaicurú
- Maya
- Náhuatl
- Navajo y apache
- Pano
- Quechua
- Sioux
- Tehuelche
- Tupí
- Tupí-guaraní

1. Islas Caimán
2. Turcas y Caicos
3. Islas Vírgenes (EE. UU.)
4. Islas Vírgenes (Reino Unido)
5. Anguila
6. San Martín
7. San Cristóbal y Nieves
8. Montserrat
9. Antigua y Barbuda
10. Guadalupe
11. Dominica
12. Martinica
13. Santa Lucía
14. San Vicente y las Granadinas
15. Barbados
16. Granada
17. Trinidad y Tobago
18. Curasao
19. Aruba

Universidad Nacional Autónoma de México. Fundada en 1910 y ubicada al sur de Ciudad de México, es considerada la universidad más grande e importante de la ciudad, además de presentar un gran reconocimiento académico en toda América del Sur.

② Tótem de Canadá. En los antiguos poblados indígenas de la costa pacífica canadiense, los jefes de la tribu establecían tótems de madera que representaban espíritus guardianes o leyendas. Su función es conmemorar el antepasado común de una familia o clan y recordar acontecimientos.

③ Cristo Redentor. Monumento emblemático de Brasil, ubicado en el cerro del Corcovado en Río de Janeiro. Construido entre 1926 y 1931, es una estatua de estilo *art déco* que mide 38 m de altura, de los cuales ocho son pedestal. Está considerada una de las siete nuevas maravillas del mundo.

④ Chichén Itzá (México). El pueblo maya construía ciudades de piedra, palacios y templos decorados con refinadas esculturas. Los sacerdotes celebraban ceremonias en la parte superior de los templos, ofreciendo sacrificios animales o humanos a sus dioses.

⑤ Barcos de cañas (Perú). El pueblo uru, que habita en torno al lago navegable más alto del mundo, el Titicaca, que hace frontera entre Perú y Bolivia, construye sus barcas y hogares con cañas de totora, planta acuática autóctona de la zona.

⑥ Toronto (Canadá). Capital de Ontario y ciudad más poblada de Canadá. *Toronto* deriva de una palabra india del pueblo hurón que significa «punto de encuentro». Su perfil moderno está dominado por la Torre CN.

⑦ Isla de Pascua (Chile). Isla en la que existen 600 estatuas esculpidas en piedra llamadas moáis. Parece que los primeros habitantes polinesios de la isla las esculpieron hace 1000 años. Les atribuían poderes mágicos.

⑧ Bebida popular. El mate es una bebida caliente, ligeramente amarga, muy popular en todo el sur del subcontinente sudamericano. Se hace con hojas de mate y se bebe de una calabaza con una pequeña pipa o tubito de metal.

⑨ Tupís. Los indios americanos son los nativos de América, el primer pueblo que habitó allí. Se les llamó *indios* porque cuando Cristóbal Colón desembarcó en América en 1492 creyó haber llegado a la India.

 Eugene O'Neill en 1936, Pearl S. Buck en 1938, William Faulkner en 1939, T.S. Eliot en 1948, Ernest Hemingway en 1954, John Steinbeck en 1962 y Toni Morrison en 1993 tienen algo en común: haber sido galardonados con el Premio Nobel de Literatura.

En la zona conocida como *Mesoamérica*, se desarrollan algunas de las más importantes culturas previas a la llegada de los españoles; **los toltecas (Teotihuacán),** predecesores de los aztecas, los mayas y los incas. En la península de Yucatán y en Guatemala se desarrolló la cultura maya, considerada hoy en día como la madre de las primeras civilizaciones precolombinas. Los **mayas** construyeron ciudades de piedra, templos y pirámides, y estaban instruidos en astronomía y matemáticas.

El imperio de los **aztecas** fue una gran civilización asentada en México y América Central. Construyeron grandes pirámides con anchas escaleras que conducían a un templo situado en la cumbre. Allí, mucha gente era sacrificada como ofrenda a su dios.

Por su parte, los **incas** tenían el centro de su imperio en Perú; en el siglo XV, el imperio creció y se extendió miles de kilómetros hasta Ecuador y Chile. Construyeron grandes ciudades-fortaleza como Cuzco y Machu Picchu, y adoraban al sol y otros dioses de la naturaleza.

Los exploradores europeos de los siglos XV y XVI pensaron que América del Norte era la India, por eso llamaron *indios* a sus habitantes. Hoy en día se utiliza el término **nativo americano** para referirse a los habitantes originales del continente, entre los que están: *inuits*, iroqueses, *cherokees*, siux, apaches, náhualts, quechuas, kunas o los tupís.

AMÉRICA
ECONÓMICA

Materias primas
- ♨ Gas
- 🌲 Madera
- ⛏ Minería
- ⛽ Petróleo
- ▬ Áreas agrícolas
- ▬ Áreas ganaderas
- ▤ Áreas pesqueras
- 🦐 Marisco

Principales producciones agrícolas y ganaderas
- Algodón
- Cacahuete
- Cacao
- Café
- Caña de azúcar
- Caucho
- Cereales
- Cítricos
- Fruta
- Frutas y verduras
- Maíz
- Pesca
- Plátanos
- Soja
- Vino
- Tabaco
- Ovejas
- Vacas

Industrias
- Aeroespacial
- Alimentaria
- Astilleros
- Automotríz
- Editorial
- Electrónica
- Farmacéutica
- Frigorífica
- Hierro y acero
- Mecánica
- Metalúrgica
- Química
- Tecnológica
- Textil
- Centro industrial

Principales áreas urbanas
- 1 millón de habitantes
- Principales puertos
- Plaza financiera
- Turismo

Mar de Bering

Mar de Beaufort

Alaska (EE. UU.)

Groenlandia (Dinamarca)

Islas Aleutianas

OCÉANO PACÍFICO NORTE

Bahía de Baffin

CANADÁ

Bahía de Hudson

Isla Vancouver

ESTADOS UNIDOS DE AMÉRICA

Toronto
5 100 000 hab.

Montreal
3 600 000 hab.

Isla Terranova

OCÉANO ATLÁNTICO NORTE

Nueva York
8 000 000 hab.

Los Ángeles
3 800 000 hab.

Isla de Guadalupe

Islas Bermudas

MÉXICO

Golfo de México

BAHAMAS

Islas Revillagigedo

Ciudad de México
9 000 000 hab.

CUBA

REPÚBLICA DOMINICANA

JAMAICA

Puerto Rico (EE. UU.)

Mar Caribe

BELICE

GUATEMALA

HONDURAS

EL SALVADOR

NICARAGUA

Clipperton

COSTA RICA

PANAMÁ

TRINIDAD Y TOBAGO

VENEZUELA

GUYANA

SURINAM

OCÉANO ATLÁNTICO SUR

Bogotá
7 400 000 hab.

COLOMBIA

Guayana Francesa (Francia)

ECUADOR

Archipiélago de Galápagos

BRASIL

PERÚ

Lima
7 400 000 hab.

BOLIVIA

OCÉANO PACÍFICO SUR

PARAGUAY

São Paulo
10 800 000 hab.

Río de Janeiro
6 000 000 hab.

CHILE

ARGENTINA

URUGUAY

Santiago de Chile
4 000 000 hab.

Buenos Aires
2 900 000 hab.

Isla de Chiloé

Mar Argentino

OCÉANO ATLÁNTICO SUR

Isla Grande de Tierra del Fuego

Islas Malvinas

Wall Street, Nueva York (EE. UU.). La Bolsa es un edificio público donde se reúnen los comerciantes y financieros para tratar sus negocios. La Bolsa de Nueva York es un importante mercado internacional de valores donde se compran y venden acciones de las empresas. Está en Wall Street, centro económico de Nueva York. El término *Wall Street* ahora se utiliza para describir el mundo financiero estadounidense en general.

Cinturón del maíz o *corn belt*. Estados Unidos inició su historia económica como una nación agrícola, y actualmente los equipos de cosechadoras recorren el país trabajando para recoger la cosecha a tiempo. La agricultura está altamente tecnificada y es muy productiva, situándose hoy en día como el primer productor mundial de maíz y trigo.

Chullos peruanos. El chullo es un gorro con orejeras, tejido en lana de alpaca, que luce dibujos multicolores. El sector textil peruano cuenta con una larga tradición y durante años ha sido reconocido por la calidad de sus fibras naturales. Es considerado uno de los motores de desarrollo y uno de mayores generadores de empleo.

✳ En 1867 Estados Unidos compró Alaska a Rusia por 7.2 millones de dólares, lo que a día de hoy serían 60 millones de euros, bastante menos de lo que cuestan algunos futbolistas del panorama actual.

✳ Venezuela fue un país principalmente agrícola hasta que se hallaron enormes reservas de petróleo en el área del lago Maracaibo. En Argentina, a finales de 2011, se encontró, entre las provincias de Neuquén y Mendoza, el mayor descubrimiento de petróleo del país.

Desde el punto de vista económico y humano, las diferencias existentes entre América del Norte y América del Sur son notables. Es un continente donde se hallan los extremos de la riqueza y la pobreza absolutas.

Canadá y **EE. UU.** son regiones ricas, que cuentan con importantes recursos naturales y un gran desarrollo industrial. La agricultura es intensiva y muy mecanizada, y principalmente se cultiva algodón, trigo, maíz, caña de azúcar... La industria está altamente tecnificada y desarrollada gracias a la abundancia de fuentes de energía y de yacimientos mineros.

Mientras los países del norte cuentan con un gran nivel económico, los países de **América del Sur** y **México**, **América Central y Caribe** viven casi exclusivamente de la agricultura y la ganadería, con predominio de los cultivos de maíz, caña de azúcar, banano, tabaco o algodón. La ganadería constituye la principal riqueza de Argentina y Uruguay. Solo algunos países como Chile, Brasil, Argentina y Venezuela han conseguido un mayor despegue industrial.

Para la expansión económica es necesario que haya buenas **vías de comunicación**. El desarrollo de estas es también diferente en el norte y en el sur.

EE. UU. y Canadá cuentan con numerosas vías férreas atraviesan algunas el continente de océano a océano. Dos vías de comunicación sobresalientes en el continente son la gran carretera **panamericana** que va desde Alaska hasta Buenos Aires cruzando 19 países; y el **canal de Panamá**, que une los océanos Atlántico y Pacífico.

AMÉRICA
ACTUALIDAD

Organizaciones Internacionales

- Mercosur (Mercado Común del Sur)
- ALCA (Área de Libre Comercio de las Américas)
- ALBA (Alternativa Bolivariana para los Pueblos de Nuestra América)
- CAN (Comunidad Andina de Naciones)
- CARICOM (Comunidad del Caribe)

Estados

1921 Año de la independencia

Independizados de:

- Reino Unido
- Francia
- Portugal
- Países Bajos
- España

✳ Principales conflictos de los siglos XIX y XX

Mar de Bering
Mar de Beaufort
Groenlandia (Dinamarca)
Alaska (EE. UU.)
Islas Aleutianas
Bahía de Baffin
Bahía de Hudson
Isla Vancouver
1867 CANADÁ
Isla Terranova
San Pedro y Miquelón (FRANCIA)

OCÉANO PACÍFICO NORTE

1776 ESTADOS UNIDOS DE AMÉRICA

OCÉANO ATLÁNTICO NORTE

Islas Bermudas

Isla de Guadalupe

Golfo de México
BAHAMAS
1821 MÉXICO
1902 CUBA
1844 REPÚBLICA DOMINICANA

ARUBA, 1986
CURASAO, 2010
SAN CRISTÓBAL Y NIEVES, 1983
SAN MARTÍN, 2010
ANTIGUA Y BARBUDA, 1981
MONTSERRAT
DOMINICA, 1978
SANTA LUCÍA, 1979
SAN VICENTE Y LAS GRANADINAS, 1979
GRANADA, 1974
BARBADOS, 1966

Islas Revillagigedo
1981 BELICE
1962 JAMAICA
1804 HAITÍ
Puerto Rico (EE. UU.)
GUATEMALA 1821
1821 HONDURAS
Mar Caribe
1821 EL SALVADOR
NICARAGUA 1821
Invasión de Granada
TRINIDAD Y TOBAGO 1962
1821 COSTA RICA
1830 PANAMÁ
1830 VENEZUELA
1966 GUYANA
1975 SURINAM
Guayana Francesa (Francia)

Clipperton

1830 COLOMBIA
Guerrilla

Archipiélago de Galápagos
1830 ECUADOR
Guerra del Cenepa

1824 PERÚ
1822 BRASIL

1825 BOLIVIA

OCÉANO PACÍFICO SUR

Guerra del Pacífico
Guerra del Chaco
1811 PARAGUAY

1821 CHILE
1816 ARGENTINA
1828 URUGUAY

Islas Juan Fernández

OCÉANO ATLÁNTICO SUR

Isla de Chiloé

Mar Argentino
Guerra de las Malvinas
Isla Grande de Tierra del Fuego
Malvinas (Fakland) (REINO UNIDO)

Cambio climático. América está padeciendo algunos de los efectos más graves del cambio climático: inundaciones, sequías, erosión de los suelos, deforestación, y retroceso y derretimiento de los glaciares. Un ejemplo es el devastador terremoto en Haití en 2010, que dejó al país con más de 300 000 muertos y totalmente destruido. El año 2010 fue uno de los años más cálidos jamás registrados, según la Organización Meteorológica Mundial (OMM).

Homenaje de luz en Nueva York. El 11 de septiembre de 2001 un ataque terrorista en el World Trade Center marcó un antes y un después en la historia de EE. UU. y del mundo entero. Miles de víctimas quedaron sepultadas bajo los escombros de las Torres Gemelas, centro de finanzas mundial.

Silicon Valley (en español *Valle del Silicio*). Zona del norte de California (EE. UU.) donde se localizan muchas empresas que desarrollan productos informáticos. Debido a que este lugar es abundante en silicio, muy empleado en informática y electrónica, ha recibido el nombre de *Silicon Valley*.

Terremoto en Chile. Un fuerte terremoto acontecido en febrero de 2010 sacude Chile dejando miles de víctimas. Las zonas más afectadas como Valparaíso, Maule o Biobío acumulan más de la mitad de la población del país con lo cual muchas fueron las personas que sufrieron las terribles consecuencias.

✳ ¿Sabías que los alasqueños (residentes de Alaska), cuando quieren referirse al resto de Estados de Estados Unidos, lo hacen usando la expresión *the lower 48* ('los 48 de abajo')?

 ✳ El 2 de mayo de 2011, el presidente estadounidense Barack Obama anuncia la muerte del líder de Al Qaeda, Osama bin Laden, considerado el mayor enemigo de EE. UU.

La entrada del nuevo milenio irrumpió en América de forma catastrófica con los atentados terroristas del 11 de septiembre de 2001 a las Torres Gemelas del World Trade Center de Nueva York y al Pentágono. Comenzó así una invasión a países como Afganistán e Irak, denominada *guerra contra el terrorismo*, campaña liderada por Estados Unidos y apoyada por varios miembros de la OTAN y otros aliados con el objetivo de derrotar a terroristas como Osama Bin Laden y sus organizaciones.

Los **golpes de Estado** han sido una constante en América Latina. En los últimos dieciocho años se han registrado once golpes, pero en todo el siglo XX fueron cerca de 250. El más destacado sucedió en 1973, cuando Salvador Allende fue derrocado por tropas dirigidas por el general Augusto Pinochet. El golpe de Estado más reciente es el de Honduras, que aconteció el 28 de junio de 2009.

En 2011 con la firma de los doce presidentes del Tratado Constitutivo entró en vigor la Unión de Naciones Suramericanas (**UNASUR**) para el proceso sudamericano de integración. Sus principales objetivos son la integración regional y velar por el respeto y vigencia del sistema democrático. Los países miembros de UNASUR son Brasil, Paraguay, Argentina, Bolivia, Chile, Colombia, Ecuador, Guyana, Perú, Surinam, Uruguay y Venezuela.

AMÉRICA

NORTE

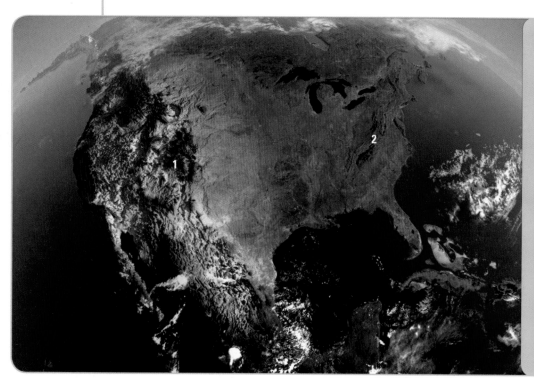

América del Norte la integran Canadá, Estados Unidos, México y Bahamas. El oeste de los Estados Unidos y Canadá está atravesado por la gran cordillera de las Montañas Rocosas **(1)**, que con una longitud de 3200 km se extiende de norte a sur. El este está atravesado por la cadena montañosa de los Apalaches **(2)**.

La mayor altura de América del Norte es el monte McKinley, con 6194 metros. Este territorio cuenta con importantes ríos como el Misisipi, el Mackenzie, el Misuri, el Yukón, el Nelson y el San Lorenzo.

Parque Nacional de Yosemite. Se localiza al este de San Francisco, California, ocupando aproximadamente 3100 km². Famosos son sus acantilados de granito, bosques de secuoyas y la gran diversidad biológica que en él se puede encontrar. Fue nombrado patrimonio de la humanidad en 1984.

Cataratas del Niágara. Son las que forma el río Niágara en América del Norte. Están situadas entre la frontera de Estados Unidos y Canadá, y constituyen uno de los centros de atracción turística más importantes del continente.

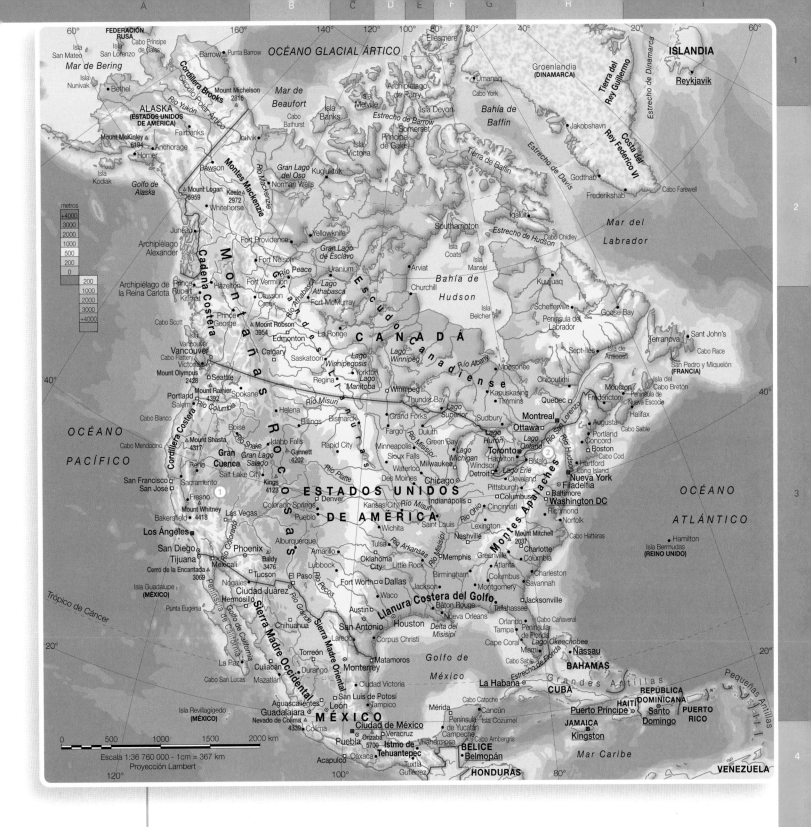

OCÉANO GLACIAL ÁRTICO

FEDERACIÓN RUSA

Mar de Bering

ISLANDIA

Reykjavik

Groenlandia (DINAMARCA)

ALASKA (ESTADOS UNIDOS DE AMÉRICA)

Mar de Beaufort

Bahía de Baffin

Mar del Labrador

C A N A D Á

Bahía de Hudson

OCÉANO PACÍFICO

Escudo Canadiense

Montañas Rocosas

E S T A D O S   U N I D O S
D E   A M É R I C A

OCÉANO ATLÁNTICO

Nueva York
Washington DC

Trópico de Cáncer

BAHAMAS
CUBA
La Habana

Golfo de México

M É X I C O
Ciudad de México

BELICE
Belmopán
HONDURAS

JAMAICA
Kingston

HAITÍ
Puerto Príncipe

REPÚBLICA DOMINICANA
Santo Domingo

PUERTO RICO

Mar Caribe

VENEZUELA

metros
+4000
3000
2000
1000
500
200
0
200
1000
2000
3000
+4000

0   500   1000   1500   2000 km

Escala 1:36 760 000 - 1cm = 367 km
Proyección Lambert

Bahamas
Canadá
Estados Unidos
México

Bermudas (UK)
Groenlandia (DK)
San Pedro y Miquelón (FR)

Bahamas	Canada	Mexico	United States of America

Bahamas	Canadá	México	Estados Unidos de América

AMÉRICA

Una estrecha franja de tierra montañosa y en gran parte volcánica une México con América del Sur. El **canal de Panamá (1)** es un canal de navegación que comunica los océanos Atlántico y Pacífico.

①

El **tucán** es un pájaro que habita en América Central y Caribe, y se caracteriza por su vistoso y colorido pico de gran tamaño.

②

El **canal de Panamá** une el océano Atlántico con el Pacífico, mide casi 80 kilómetros de longitud y tiene una anchura de hasta 300 metros en el lago Gatún. Estuvo bajo control estadounidense hasta 1999. Desde entonces está bajo el control de Panamá.

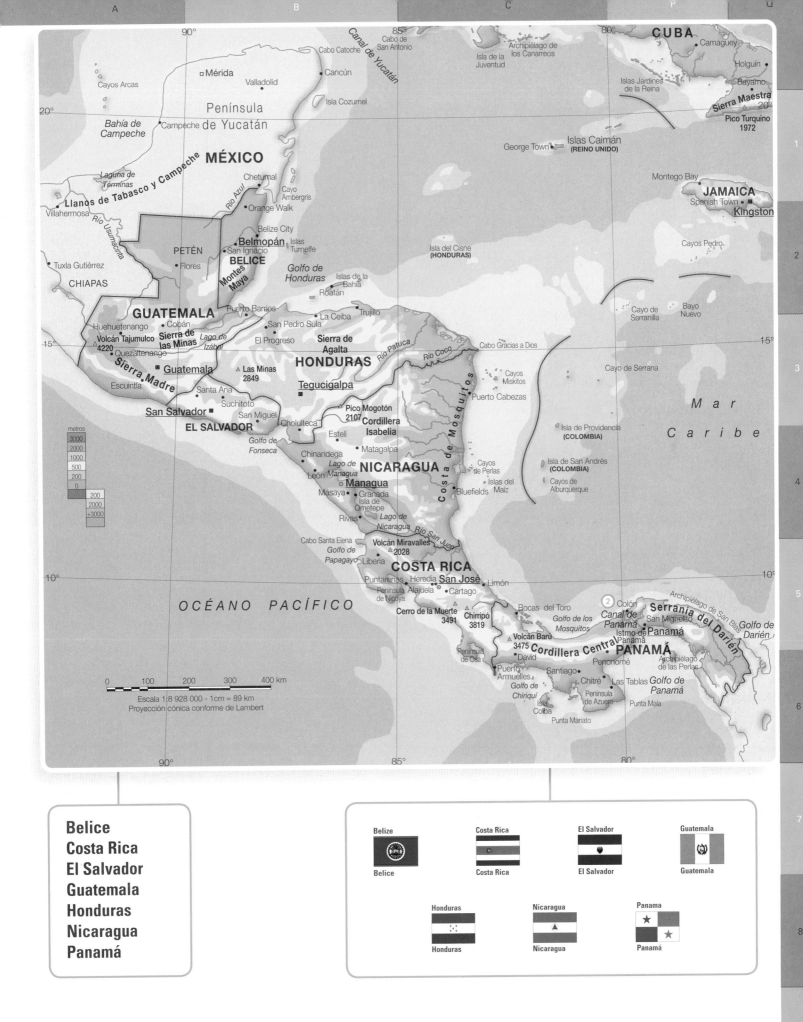

Belice
Costa Rica
El Salvador
Guatemala
Honduras
Nicaragua
Panamá

Belice — Belice

Costa Rica — Costa Rica

El Salvador — El Salvador

Guatemala — Guatemala

Honduras — Honduras

Nicaragua — Nicaragua

Panama — Panamá

AMÉRICA

ANTILLAS y CARIBE

Antigua y Barbuda
Aruba
Barbados
Cuba
Curasao
Dominica
Granada
Haití
Jamaica
Rep. Dominicana
San Cristóbal y Nieves
San Martín
San Vicente
 y las Granadinas
Santa Lucía
Trinidad y Tobago

Anguila (UK)
Caimán (UK)
Guadalupe (FR)
Martinica (FR)
Montserrat (UK)
S. Eustaquio y Saba (NL)
Turcas y Caicos (UK)
Vírgenes (UK/US)
*Puerto Rico (US)

*Puerto Rico, oficialmente llamado **Estado libre asociado de Puerto Rico** *(Commonwealth of Puerto Rico)*, es un territorio no incorporado de los Estados Unidos con estatus de autogobierno. Los puertorriqueños son ciudadanos estadounidenses desde 1917. Su relación con Estados Unidos es similar a la de un estado de la Unión aunque para su gobierno interno tengan su propia constitución.

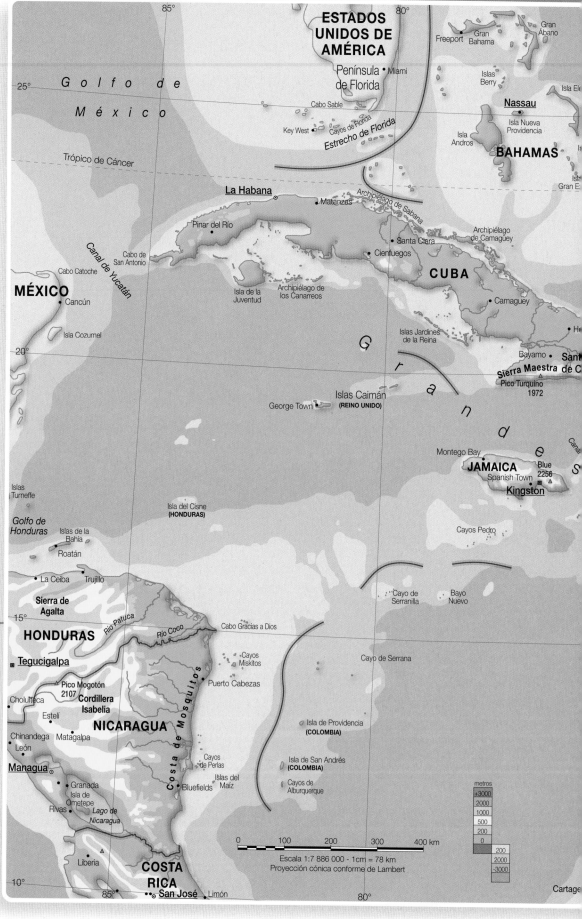

ESTADOS UNIDOS DE AMÉRICA
Península de Florida
Miami
Cabo Sable
Key West
Cayos de Florida
Estrecho de Florida
Golfo de México
Trópico de Cáncer
Freeport
Gran Bahama
Gran Abaco
Islas Berry
Isla Ele
Nassau
Isla Nueva Providencia
Isla Andros
BAHAMAS
Gran E

La Habana
Matanzas
Archipiélago de Sabana
Pinar del Río
Santa Clara
Archipiélago de Camagüey
Cienfuegos
CUBA
Camaguey
Cabo Catoche
Cabo de San Antonio
Canal de Yucatán
MÉXICO
Cancún
Isla de la Juventud
Archipiélago de los Canarreos
Islas Jardines de la Reina
Isla Cozumel
Bayamo
Sant
Sierra Maestra de C
Pico Turquino 1972

Islas Caimán
(REINO UNIDO)
George Town
Gran
d
e
Canal

Montego Bay
JAMAICA
Spanish Town
Blue 2256
Kingston
Islas Turneffe
Golfo de Honduras
Islas de la Bahía
Roatán
La Ceiba
Trujillo
Isla del Cisne
(HONDURAS)
Cayos Pedro

Sierra de Agalta
Río Patuca
Río Coco
Cabo Gracias a Dios
Cayo de Serranilla
Bayo Nuevo
HONDURAS
Tegucigalpa
Pico Mogotón 2107
Cordillera Isabelia
Cholulteca
Estelí
NICARAGUA
Chinandega
Matagalpa
León
Managua
Granada
Isla de Ometepe
Rivas
Lago de Nicaragua
Liberia
COSTA RICA
San José
Limón
Cayos Miskitos
Puerto Cabezas
Costa de Mosquitos
Cayos de Perlas
Bluefields
Islas del Maíz
Cayo de Serrana
Isla de Providencia
(COLOMBIA)
Isla de San Andrés
(COLOMBIA)
Cayos de Alburquerque
Cartage

metros
+3000
2000
1000
500
200
0
200
2000
-3000

0   100   200   300   400 km
Escala 1:7 886 000 - 1cm = 78 km
Proyección cónica conforme de Lambert

Antigua and Barbuda
Antigua y Barbuda

Aruba
Aruba

Barbados
Barbados

Cuba
Cuba

Curaçao
Curasao

Dominica
Dominica

Dominican Republic
República Dominicana

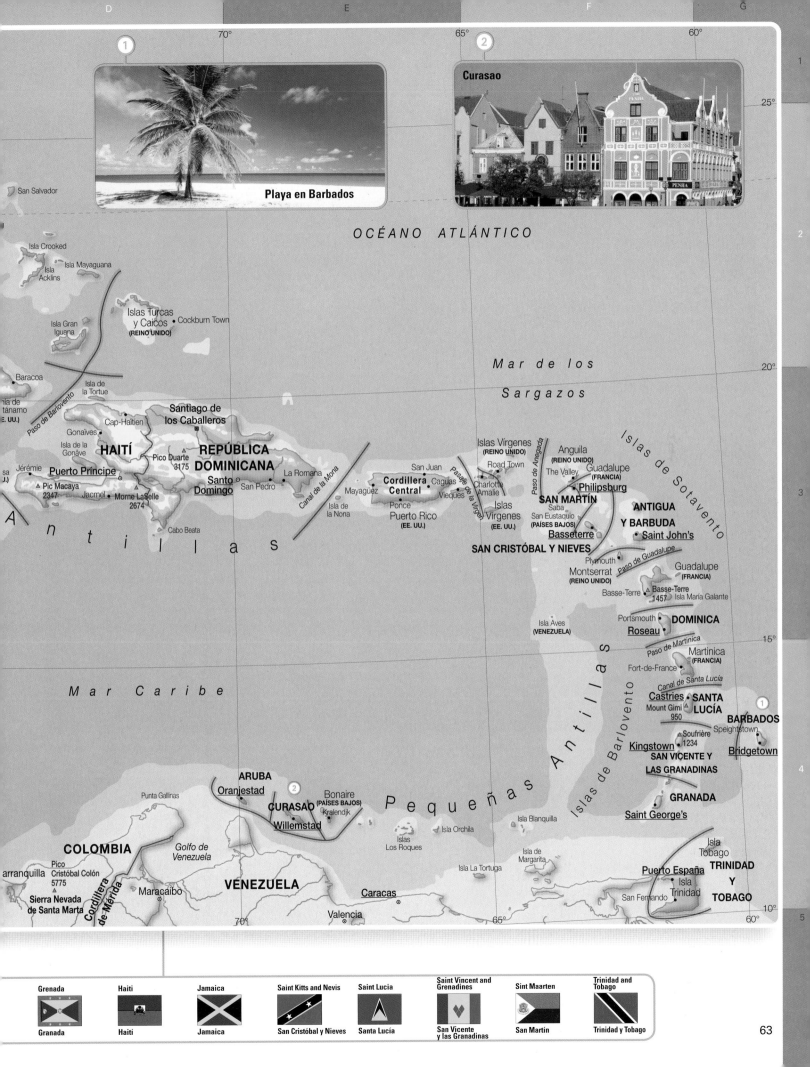

Playa en Barbados

Curasao

D · 1 · 70° · E · 65° · 2 · F · 60° · G

1

25°

San Salvador

OCÉANO ATLÁNTICO

2

Isla Crooked

Isla
Mayaguana

Isla
Acklins

Mar de los

20°

Sargazos

Isla Gran
Iguana

Islas Turcas
y Caicos
(REINO UNIDO) · Cockburn Town

Baracoa

Paso de Barlovento

Isla de
la Tortue

Islas Vírgenes
(REINO UNIDO)

Anguila
(REINO UNIDO)

Islas de Sotavento

Cap-Haïtien

Santiago de
los Caballeros

Gonaïves

Isla de la
Gonâve

HAITÍ

Pico Duarte
3175

**REPÚBLICA
DOMINICANA**

San Juan

Road Town

The Valley

Guadalupe
(FRANCIA)

3

Jérémie

Puerto Príncipe

Santo
Domingo

La Romana

San Pedro

Charlotte
Amalie

Philipsburg

Pic Macaya
2347

Jacmel

Morne LaSelle
2674

Mayagüez

**Cordillera
Central**

Caguas

Vieques

Saba

SAN MARTÍN

**ANTIGUA
Y BARBUDA**

Antillas

Ponce

Islas
Vírgenes
(EE. UU.)

San Eustaquio
(PAÍSES BAJOS)

Saint John's

Canal de la Mona

Cabo Beata

Isla de
la Nona

Puerto Rico
(EE. UU.)

Pasaje de la Virgen

Basseterre

SAN CRISTÓBAL Y NIEVES

Plymouth

Paso de Guadalupe

Guadalupe
(FRANCIA)

Montserrat
(REINO UNIDO)

Basse-Terre

Basse-Terre
1457

Isla María Galante

Isla Aves
(VENEZUELA)

Portsmouth

DOMINICA

Roseau

15°

Mar Caribe

Paso de Martinica

Martinica
(FRANCIA)

Fort-de-France

Canal de Santa Lucía

Castries

Mount Gimi
950

**SANTA
LUCÍA**

BARBADOS

Speightstown

Soufrière
1234

Islas de Barlovento

Kingstown

Bridgetown

4

ARUBA

Oranjestad

2

Bonaire
(PAÍSES BAJOS)

Pequeñas Antillas

**SAN VICENTE Y
LAS GRANADINAS**

Punta Gallinas

CURASAO

Kralendijk

GRANADA

Willemstad

Islas
Los Roques

Isla Orchila

Isla Blanquilla

Saint George's

COLOMBIA

Golfo de
Venezuela

Isla
Tobago

arranquilla

Pico
Cristóbal Colón
5775

Isla La Tortuga

Isla de
Margarita

Puerto España

TRINIDAD

Sierra Nevada
de Santa Marta

Cordillera
de Mérida

VENEZUELA

Maracaibo

Caracas

San Fernando

Isla
Trinidad

Y

TOBAGO

10°

Valencia

70° · 65° · 60°

5

Grenada	Haiti	Jamaica	Saint Kitts and Nevis	Saint Lucia	Saint Vincent and Grenadines	Sint Maarten	Trinidad and Tobago
Granada	Haití	Jamaica	San Cristóbal y Nieves	Santa Lucía	San Vicente y las Granadinas	San Martín	Trinidad y Tobago

63

AMÉRICA

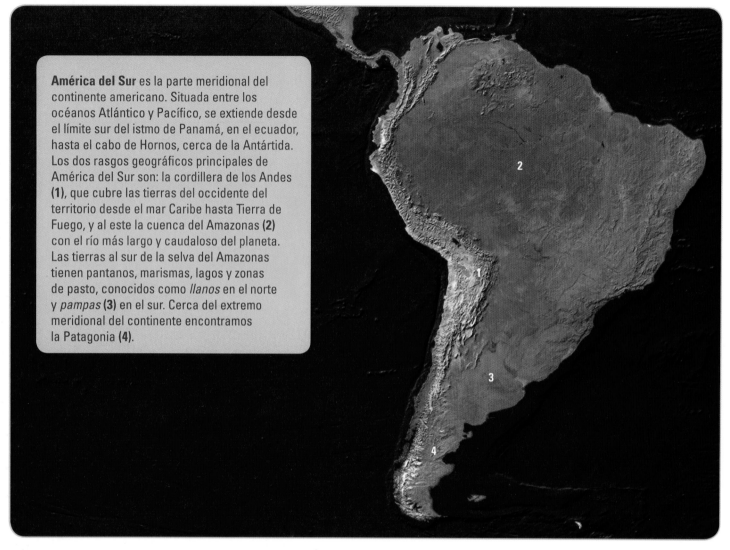

América del Sur es la parte meridional del continente americano. Situada entre los océanos Atlántico y Pacífico, se extiende desde el límite sur del istmo de Panamá, en el ecuador, hasta el cabo de Hornos, cerca de la Antártida. Los dos rasgos geográficos principales de América del Sur son: la cordillera de los Andes **(1)**, que cubre las tierras del occidente del territorio desde el mar Caribe hasta Tierra de Fuego, y al este la cuenca del Amazonas **(2)** con el río más largo y caudaloso del planeta. Las tierras al sur de la selva del Amazonas tienen pantanos, marismas, lagos y zonas de pasto, conocidos como *llanos* en el norte y *pampas* **(3)** en el sur. Cerca del extremo meridional del continente encontramos la Patagonia **(4)**.

São Paulo (Brasil)

Volcán Cotopaxi (Ecuador)

Argentina
Argentina

Bolivia
Bolivia

Brazil
Brasil

Chile
Chile

Colombia
Colombia

Ecuador
Ecuador

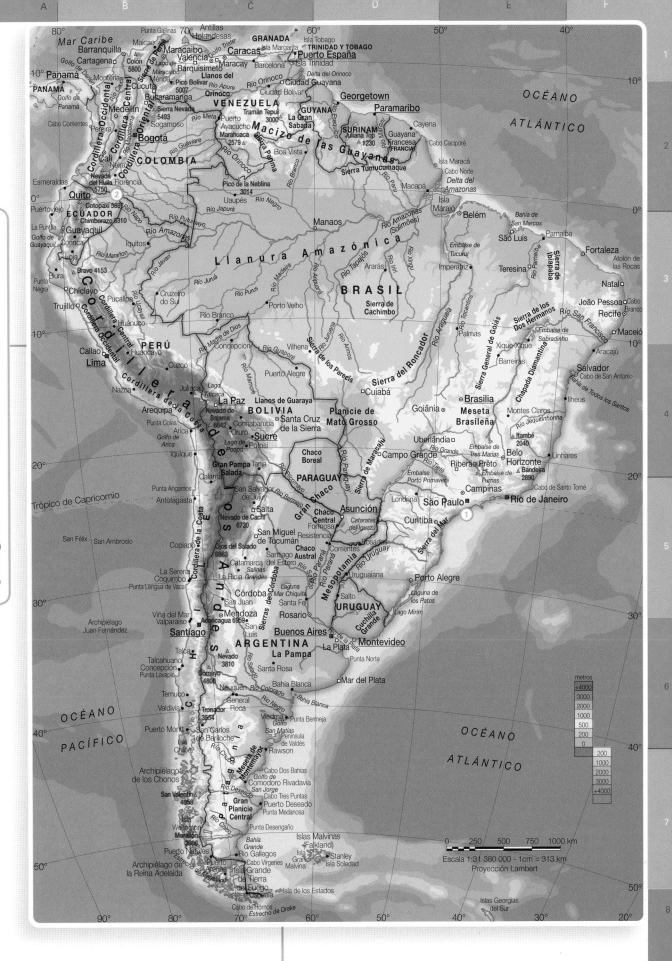

Argentina
Bolivia
Brasil
Chile
Colombia
Ecuador
Guyana
Paraguay
Perú
Surinam
Uruguay
Venezuela

Georgias
del Sur (UK)
Guayana
Francesa (FR)
Malvinas /
Falkland (UK)

Escala 1:31 380 000 - 1cm = 313 km
Proyección Lambert

Guyana

Guyana

Paraguay

Paraguay

Peru

Perú

Suriname

Surinam

Uruguay

Uruguay

Venezuela

Venezuela

ASIA
FÍSICA

Superficie:
44 580 000 km²
Habitantes:
3 900 000 000
Punto más elevado:
Everest (Nepal), 8848 m
Punto más bajo:
Mar Muerto (Jordania),
395 m bajo el nivel del mar
Río más largo:
Changjiang (Yangtsé), 6380 km
Mayor desierto:
Arabia, 1 300 000 km²
Lago más grande:
Caspio, 430 000 km
País más grande:
Rusia asiática
País más pequeño:
Maldivas

El **tigre blanco** es una variedad rara del tigre ordinario *(Panthera tigris)*, con una condición genética que casi elimina el pigmento en la piel normalmente naranja. Vive en los bosques de Asia e Indonesia, y actualmente es una especie en serio peligro de extinción.

Cordillera del Himalaya. *Himalaya* significa «morada de las nieves» y es la cadena montañosa más alta del mundo. Tiene 2800 km de longitud y una anchura máxima de unos 500 km. Allí se encuentra el punto más elevado de la Tierra: el monte Everest (8848 m), llamado así desde 1865 en honor a sir George Everest, quien dirigió una expedición entre 1830 y 1843 para trazar los primeros mapas de la zona.

¿Sabías que las diez montañas más altas del mundo están situadas en Asia?

Everest: 8848 m (Nepal)

Qogir (K2): 8611 m (Pakistán)

Kangchenjunga: 8586 m (Nepal)

Lhotse: 8516 m (Nepal)

Makalu I: 8462 m (Nepal)

Cho Oyu: 8201 m (Nepal)

Dhaulagiri: 8172 m (Nepal)

Manaslu I: 8156 m (Nepal)

Nanga Parbat: 8126 m (Pakistán

Annapurna I: 8091 m (Nepal)

El río más largo de Asia, el río Yangtsé, se ha convertido en el principal canal de transporte fluvial asiático y, como consecuencia de ello, en uno de los ríos más contaminados de China. En el curso de este río se ha construido la presa de las Tres Gargantas considerada la obra hidráulica más grande del planeta.

Asia es el continente más grande del mundo: casi una tercera parte de la superficie total de la Tierra está ocupada por el continente asiático. Es más grande que África y Europa juntos. El océano Glacial Ártico limita Asia por el norte, el Pacífico lo hace por el este y el Índico por el sur. El límite por el oeste Europa y los mares Mediterráneo y Rojo. No es fácil delimitar dónde acaba Europa y dónde comienza Asia, porque ocupan un mismo bloque de tierra (**Eurasia**), pero suelen señalarse los montes Urales como frontera natural entre ambos continentes.

El paisaje es muy variado, desde elevadas cordilleras como el **Karakórum** y el **Himalaya**, hasta la zona más baja de las tierras emergidas del planeta, las orillas del mar Muerto. También mesetas como la del **Tíbet**, desiertos arenosos en el centro del continente, tierras heladas en el norte (tundra) y costas soleadas en el sur.

El clima es caluroso y seco durante una parte del año y muy lluvioso en los meses de verano. En esta época, los vientos borrascosos llamados ***monzones*** recogen humedad de los océanos del sur y la vierten sobre la tierra.

Los **ríos** que recorren Asia son largos y caudalosos: Changjiang (Yangtsé), Mekong, Ganges, Indo, Obi, etc. También encontramos extensos lagos como el mar Caspio y el mar de Aral.

En Asia hay animales de todas las formas y tamaños, como el elefante asiático, el camello bactriano y el panda gigante.

ASIA
POLÍTICA

Mar de Barents

Océano Glacial Ártico

Nueva Zembla

Círculo Polar Ártico

Mar de Laptev

Mar de Siberia Oriental

Mar de Bering

Mar de Ojotsk

Islas Kuriles

EUROPA

FEDERACIÓN RUSA

Ekaterimburgo
Cheliábinsks
Tiumen
Tobolsk
Omsk
Novosibirsk
Novokuzneck
Barnaul
Tomsk
Krasnoiarsk
Kyzyl
Irkutsk
Ulan-Ude
Chitá
Borzia
Habarovsk
Vladivostok

KAZAJISTÁN

Astana
Almaty

UZBEKISTÁN
TURKMENISTÁN
Taskent
KIRGUISTÁN
TAYIKISTÁN

MONGOLIA
Ulan Bator

COREA DEL NORTE
Pyongyang
Seúl
COREA DEL SUR

JAPÓN
Tokio

IRÁN
Teherán
AFGANISTÁN
Kabul
PAKISTÁN
Islamabad

CHINA
Pekín (Beijing)
Tíbet
Lhasa

Delhi
Nueva Delhi
NEPAL
Katmandú
BUTÁN
BANGLADESH
Dhaka

INDIA

Bombay
Hyderabad
Madrás (Chennai)
Bangalore

BIRMANIA (MYANMAR)
Mandalay

LAOS
Vientián
TAILANDIA
Bangkok (Krung Thep)
CAMBOYA
Phnom Penh
VIETNAM
Hanói
Saigón (Ho Chi Minh)

FILIPINAS
Manila
Quezón City

Hong Kong (Xianggag)
Cantón (Guangzhou)

Océano Pacífico

Mar de China Meridional

SRI LANKA (CEILÁN)
Colombo
MALDIVAS
Male

Océano Índico

Ecuador

BRUNÉI
MALASIA
Kuala Lumpur
SINGAPUR
Singapur

INDONESIA
Sumatra
Yakarta
Java
Borneo
Célebes

Mar de Célebes
Mar de Banda
Mar de Java
Mar de Flores
Mar de Timor

TIMOR ORIENTAL
OCEANÍA

Nueva Guinea

ÁFRICA

TURQUÍA
Ankara
Mar Negro
SIRIA
LÍBANO
ISRAEL
JORDANIA
IRAK
Bagdad
KUWAIT
ARABIA SAUDÍ
Riad
BARÉIN
CATAR
EAU
OMÁN
Mascate
YEMEN
La Meca
Mar Rojo
Golfo Pérsico
Golfo de Omán
Mar Arábigo
Golfo de Adén
Isla Socotora (YEMEN)

0 400 800 1200 1600 km

Abreviaturas:
ANP: Autoridad Nacional Palestina, Ramala
EAU: Emiratos Árabes Unidos

La isla de **Hong Kong** es una zona moderna que concentra la mayoría de las empresas de su región administrativa. El Reino Unido devolvió Hong Kong a China en 1997, después de 99 años como colonia británica.

Tíbet. Esta región de China está situada en las cordilleras de mayor altitud de la Tierra. Ocupado por la República Popular China, es una de las naciones con clara identidad histórica, cultural y religiosa que reclama su independencia a través del líder espiritual que reside en su exilio: el Dalái Lama, Tenzin Gyatso. Considerada por China como región autónoma, algunos Estados como EE. UU., Japón y Francia apoyan tímidamente las tesis del Dalái Lama.

Vietnam, tras la II Guerra Mundial, quedó dividido en dos países: Vietnam del Norte y Vietnam del Sur. Desde mediados de los años cincuenta hasta 1975, ambos países estuvieron en guerra. Mientras que a Vietnam del Norte lo apoyaban URSS y China, a Vietnam del Sur lo hacía EE. UU. A finales de la década de los noventa comenzaron las negociaciones para restablecer relaciones diplomáticas con EE. UU. A finales de la década de los noventa, y ya nuevamente unificado, Vietnam comenzó a recibir ayuda estadounidense.

Un **torii** es una estructura que sirve como punto de entrada a los santuarios sintoístas; podría decirse que marca un hito entre una zona sagrada y una zona impura. Miyajima guarda una de las imágenes más famosas de Japón: el *torii* sobre el agua, que cambia su aspecto según suben y bajan las mareas, alcanzando uno de los momentos más deslumbrantes durante la puesta de sol.

✳ Los países más poblados de la Tierra se encuentran en Asia: China y la India. Dos de cada cinco habitantes del mundo son chinos o indios.

✳ ¿Sabías que -*stán* al final del nombre de países como Pakistán, Afganistán, Kazajistán... significa «país de»?

En Asia surgieron las primeras civilizaciones, que se desarrollaron en **Mesopotamia**, en el valle ubicado entre los ríos Tigris y Éufrates, siendo cuna de otras culturas antiquísimas como la babilónica, la china o la del valle del Indo.

La influencia europea fue aumentando a partir del siglo XV, aunque durante varios siglos China y Japón cerraron sus puertas al comercio y a la cultura occidental puesto que la consideraban dañina. A finales del siglo XIX, la mayor parte de Asia estaba gobernada por los europeos.

Durante la I Guerra Mundial y el período de entreguerras, los territorios de Oriente Próximo fueron los más afectados. El avance de la oposición a la presencia europea en los países de Asia occidental propició la creación de nuevas formas de dominación en la zona, llamadas **protectorados**. Incluso países ya independientes como Irán, Afganistán, Turquía... fueron víctimas de la intromisión francesa o británica en sus asuntos internos.

Tras la II Guerra Mundial se abre el proceso descolonizador en toda su magnitud, escapando Asia al control europeo y norteamericano. En Asia comenzaron a actuar grupos y partidos nacionalistas para instaurar no solo la independencia sino llevar a cabo una transformación social.

ASIA
CULTURAL

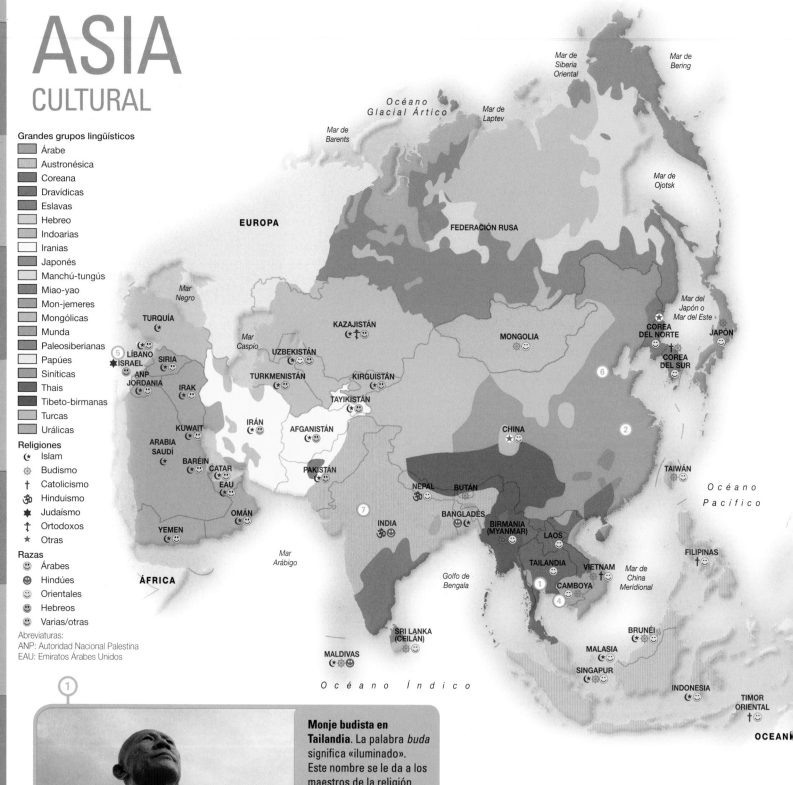

Grandes grupos lingüísticos

- Árabe
- Austronésica
- Coreana
- Dravídicas
- Eslavas
- Hebreo
- Indoarias
- Iranias
- Japonés
- Manchú-tungús
- Miao-yao
- Mon-jemeres
- Mongólicas
- Munda
- Paleosiberianas
- Papúes
- Siníticas
- Thais
- Tibeto-birmanas
- Turcas
- Urálicas

Religiones
- ☾ Islam
- ✿ Budismo
- † Catolicismo
- ॐ Hinduismo
- ★ Judaísmo
- † Ortodoxos
- ★ Otras

Razas
- ☺ Árabes
- ☺ Hindúes
- ☺ Orientales
- ☺ Hebreos
- ☺ Varias/otras

Abreviaturas:
ANP: Autoridad Nacional Palestina
EAU: Emiratos Árabes Unidos

Mar de Siberia Oriental
Mar de Bering
Océano Glacial Ártico
Mar de Laptev
Mar de Barents
Mar de Ojotsk

EUROPA
FEDERACIÓN RUSA
Mar Negro
TURQUÍA
Mar Caspio
KAZAJISTÁN
MONGOLIA
Mar del Japón o Mar del Este
COREA DEL NORTE
JAPÓN
LÍBANO
ISRAEL
SIRIA
ANP
JORDANIA
IRAK
UZBEKISTÁN
TURKMENISTÁN
KIRGUISTÁN
TAYIKISTÁN
COREA DEL SUR
KUWAIT
IRÁN
AFGANISTÁN
CHINA
TAIWÁN
ARABIA SAUDÍ
BARÉIN
CATAR
EAU
PAKISTÁN
NEPAL
BUTÁN
OMÁN
INDIA
BANGLADÉS
BIRMANIA (MYANMAR)
LAOS
YEMEN
Mar Arábigo
ÁFRICA
Golfo de Bengala
TAILANDIA
VIETNAM
CAMBOYA
Mar de China Meridional
FILIPINAS
BRUNÉI
MALASIA
SINGAPUR
INDONESIA
TIMOR ORIENTAL
SRI LANKA (CEILÁN)
MALDIVAS
Océano Índico
Océano Pacífico
OCEAN[

Monje budista en Tailandia. La palabra *buda* significa «iluminado». Este nombre se le da a los maestros de la religión budista. El budismo se basa en las enseñanzas de Siddharta Gautama: la única manera de obtener la verdadera felicidad es siendo pacífico y bondadoso, tratando a las personas y animales con consideración y evitando el mal.

✸ Los japoneses llaman a su país *Nippon*, que significa «sol naciente». Este nombre explica la presencia de un disco rojo en su bandera, que representa un sol naciente.

India es el primer productor mundial de películas. Su centro es Bombay, conocido también como *Bollywood*.

La **Gran Muralla China** es una de las más antiguas y monumentales construcciones del ser humano, erigida en el s. III a. C. por el emperador Shi Huangdi para proteger su país de los ataques de las tribus de las estepas. La muralla tiene una extensión de 8851 kilómetros.

Cucarachas fritas. La entomofagia es el hábito de comer insectos, costumbre muy extendida en Asia. Estudios de algunas agencias de alimentación opinan que los insectos podrían ser la fuente principal de proteínas en la alimentación humana del futuro.

El templo hindú de **Angkor Wat**, levantado en Camboya, y construido entre 1113 y 1150, es la construcción religiosa de mayor extensión del mundo. Sus cinco torres representan los picos del monte Meru, hogar de los dioses hindúes. Está rodeado por un foso de 183 metros.

Unos 6000 guerreros de terracota de tamaño real custodian la tumba del emperador Qin Shi Huang (259-210 a. C.), en Xi'an (China).

Muro de las Lamentaciones (Jerusalén). Es el muro oriental del templo de Salomón, utilizado en tiempos bíblicos. Hoy muchos judíos peregrinan hasta allí para orar, y en él la gente deja notas con sus deseos.

Ópera china. Los actores llevan hermosos trajes de seda y maquillaje para actuar en la ópera de Pekín. Este es el estilo dramático más popular y representa historias tradicionales de príncipes y princesas, héroes y villanos.

La henna es un tinte de color rojizo muy usado en la India para adornar las manos y los pies. A esta técnica se la denomina *mehandi* y es utilizada por las novias hindúes en sus ritos nupciales.

Las religiones más importantes del mundo nacieron en Asia: judaísmo, cristianismo, islamismo, hinduismo, budismo, confucionismo y sintoísmo. El **hinduismo** es la religión más antigua del mundo que aún sigue practicándose, pues comenzó con las más antiguas civilizaciones en el valle del Indo, en torno al 2500 a. C. A lo largo de los siglos se extendió luego por toda la India y Sri Lanka, hasta las islas del sudeste de Asia. También fue en India donde Siddharta Gautama, más tarde conocido como *Buda*, fundó el budismo, extendido por los monjes budistas a China y Asia Central a lo largo de la ruta de la seda, a partir del siglo I d. C. Hoy en día, la mayor parte de los budistas vive en Asia, aunque es una religión que se está extendiendo por Europa y América.

Su historia, tradición y riqueza han fascinado a ciudadanos de todos los rincones del mundo, dejando claro que Occidente todavía tiene mucho que aprender de ella.

No existe una única cultura homogénea a lo largo del continente asiático, más bien lo que se da es una **diversidad de culturas** con algunos rasgos similares pero, que en el fondo muestran grandes diferencias. Esto también sucede dentro de cada país, donde podemos encontrar peculiaridades propias entre las costumbres y tradiciones de un lado u otro del mismo. La cultura de Asia básicamente destaca por sus lenguas, su gastronomía, sus religiones, sus tribus y sus festivales. Todos los países asiáticos ofrecen una riqueza cultural que en la actualidad permanece bastante oculta para el mundo occidental.

¿Sabías que los samuráis fueron antiguos guerreros japoneses, muy hábiles en el uso del arco a caballo y la espada?

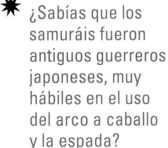

ASIA
ECONÓMICA

Materias primas
- Gas Natural
- Madera
- Minería
- Petróleo
- Áreas agrícolas
- Áreas ganaderas
- Áreas pesqueras

Principales producciones agrícolas y ganaderas
- Aceite
- Algodón
- Arroz
- Café
- Caucho
- Cereales
- Cítricos
- Coco
- Dátiles
- Papas
- Remolacha
- Tabaco
- Té
- Trigo
- Vino
- Cabras
- Ovejas
- Vacas

Industrias
- Aeroespacial
- Alimentaria
- Astilleros
- Automotriz
- Electrónica
- Energía hidroeléctrica
- Hierro y acero
- Metalúrgica
- Química
- Textil
- Áreas industriales

Principales áreas urbanas
- 1 millón de habitantes
- Plaza financiera
- Turismo

Abreviaturas:
ANP: Autoridad Nacional Palestina
EAU: Emiratos Árabes Unidos

Mar de Siberia Oriental

Mar de Bering

Océano Glacial Ártico

Mar de Laptev

Mar de Barents

Mar de Ojotsk

EUROPA

FEDERACIÓN RUSA

Mar del Japón o Mar del Este

Tokio 33 413 000 hab.

COREA DEL NORTE

COREA DEL SUR

Seúl 22 173 000 hab.

JAPÓN

Pekín 11 859 000 hab.

Shanghái 14 871 000 hab.

TURQUÍA

Mar Negro

Mar Caspio

KAZAJISTÁN

MONGOLIA

Mar Mediterráneo

LÍBANO

SIRIA

ISRAEL

ANP

JORDANIA

IRAK

UZBEKISTÁN

TURKMENISTÁN

KIRGUISTÁN

TAYIKISTÁN

CHINA

TAIWÁN

Teherán 12 183 000 hab.

IRÁN

AFGANISTÁN

Océano Pacífico

KUWAIT

ARABIA SAUDÍ

BARÉIN

CATAR

EAU

PAKISTÁN

NEPAL

BUTÁN

Delhi 17 367 000 hab.

Manila 14 140 000 hab.

FILIPINAS

OMÁN

YEMEN

BANGLADÉS

Calcuta 14 326 000 hab.

BIRMANIA (MYANMAR)

LAOS

ÁFRICA

Bombay 17 327 000 hab.

INDIA

Mar Arábigo

Golfo de Bengala

TAILANDIA

VIETNAM

CAMBOYA

Mar de China Meridional

SRI LANKA (CEILÁN)

MALDIVAS

Océano Índico

BRUNÉI

MALASIA

SINGAPUR

INDONESIA

TIMOR ORIENTAL

OCEANÍA

Yakarta 18 206 000 hab.

Países asiáticos como Japón, Filipinas, China... presentan terrenos montañosos y agrestes, por lo que los agricultores adaptan sus cultivos mediante el sistema de **terrazas**. Los campos de arroz en terrazas permiten la máxima utilización de las laderas de las colinas, ya que retienen la tierra y la humedad del agua de lluvia o de riego.

La península Arábiga contiene las mayores reservas de petróleo del mundo y enormes depósitos de gas natural.

Domesticado desde hace miles de años, el elefante asiático es de gran utilidad para la **industria maderera** en muchos países de Asia. Gracias a él, se evita trazar costosas rutas en los bosques, indispensables para el paso de las máquinas pesadas. Los elefantes trabajan en relieves difíciles, donde ninguna máquina puede acceder. Las ventajas económicas y ambientales de la utilización del elefante en la explotación forestal son numerosas.

Japón es un país líder en tecnología punta. La región de Keihin (Tokio) es la principal zona industrial de alta tecnología del mundo. Japón presenta varias **tecnópolis** o ciudades especializadas en la investigación e industrias de alta tecnología. El **vehículo eléctrico** es ya una realidad: se recarga por la noche, siendo la electricidad mucho más barata, y produce cero emisiones contaminantes. Por primera vez en su historia, un vehículo que no utiliza combustibles fósiles para desplazarse, sino energía eléctrica, ha sido elegido Coche del Año en Europa 2011.

✳ Hong Kong, Singapur, Corea del Sur y Taiwán son conocidos como *los tigres asiáticos* debido a su rápido crecimiento económico y su agresiva expansión industrial en Asia.

✳ Asia contiene dos tercios de las reservas mundiales de petróleo y gas, concentradas en Siberia y la península arábiga; y el 60 % del carbón mundial, sobre todo en China, Siberia e India.

✳ Las exportaciones y, primordialmente, la inversión han sido los motores del impresionante crecimiento de la economía china, conocido como *fenómeno chino*.

La economía asiática está en auge a pesar de la enorme desigualdad existente en el continente: hay países inmensamente ricos, como los del Golfo Pérsico, que tienen en el **petróleo** su mayor fuente de riqueza, mientras otros apenas sacan del suelo lo suficiente para subsistir como Yemen, Bután, Afganistán, Nepal y Camboya. Estos viven casi exclusivamente de la **agricultura**, sobre todo del cultivo del arroz, base alimentaria de la población.

La **pesca** también es importante sobre todo para países como Corea del Norte, China y Japón, y es base además de su alimentación.

Otra actividad que destaca es la **minera**, porque el subsuelo de Asia es muy rico en recursos minerales como el carbón, estaño, cobre, manganeso, níquel, plomo, cinc, y piedras preciosas como rubíes y zafiros.

La **Asociación de Naciones del Sureste Asiático** (ASEAN), fundada en 1967, trata de promover el comercio para fomentar el crecimiento económico y la estabilidad política entre sus diez miembros (Indonesia, Tailandia, Filipinas, Malasia, Singapur, Vietnam, Brunéi, Birmania, Laos y Camboya).

ASIA
ACTUALIDAD

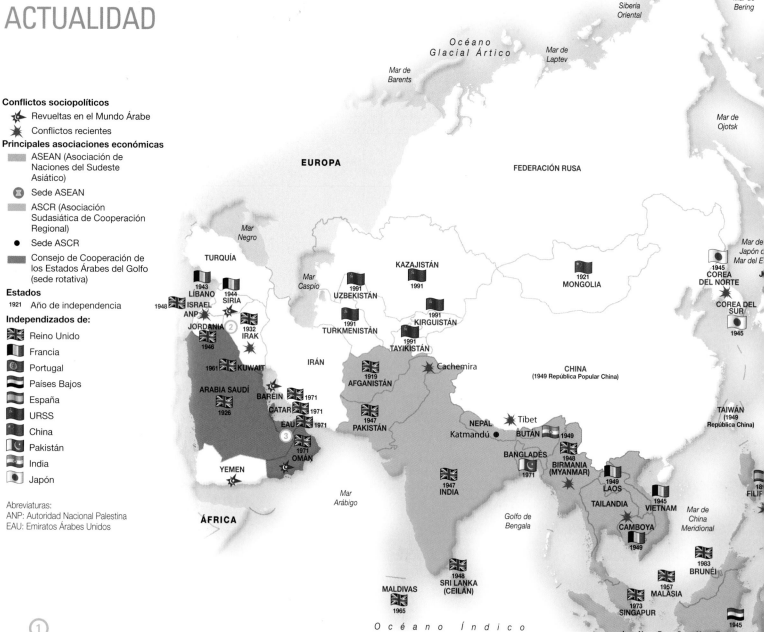

Conflictos sociopolíticos
- Revueltas en el Mundo Árabe
- Conflictos recientes

Principales asociaciones económicas
- ASEAN (Asociación de Naciones del Sudeste Asiático)
- Sede ASEAN
- ASCR (Asociación Sudasiática de Cooperación Regional)
- Sede ASCR
- Consejo de Cooperación de los Estados Árabes del Golfo (sede rotativa)

Estados
- 1921 Año de independencia

Independizados de:
- Reino Unido
- Francia
- Portugal
- Países Bajos
- España
- URSS
- China
- Pakistán
- India
- Japón

Abreviaturas:
ANP: Autoridad Nacional Palestina
EAU: Emiratos Árabes Unidos

EUROPA

Océano Glacial Ártico

FEDERACIÓN RUSA

Mar de Siberia Oriental

Mar de Bering

Mar de Barents

Mar de Laptev

Mar de Ojotsk

Mar Negro

TURQUÍA

Mar Caspio

KAZAJISTÁN
1991

1991 MONGOLIA

Mar de Japón o Mar del E

1945 COREA DEL NORTE

1943 LÍBANO
1944 SIRIA
1948 ISRAEL
ANP
JORDANIA
1946
1932 IRAK

UZBEKISTÁN
1991

1991 TURKMENISTÁN

1991 KIRGUISTÁN

1991 TAYIKISTÁN

COREA DEL SUR
1945

1961 KUWAIT

IRÁN

1919 AFGANISTÁN

CHINA
(1949 República Popular China)

ARABIA SAUDÍ
1926

BARÉIN 1971
CATAR 1971
EAU 1971

1947 PAKISTÁN

Cachemira

TAIWÁN
(1949 República China)

1971 OMÁN

YEMEN

NEPAL
Katmandú
Tíbet
BUTÁN
1949

1948 BIRMANIA (MYANMAR)

BANGLADÉS
1971

1947 INDIA

Mar Arábigo

ÁFRICA

Golfo de Bengala

1949 LAOS

TAILANDIA

1945 VIETNAM

1949 CAMBOYA

Mar de China Meridional

18 FILIF

1983 BRUNÉI

1957 MALASIA

1973 SINGAPUR

MALDIVAS
1965

1948 SRI LANKA (CEILÁN)

Océano Índico

INDONESI

Yakarta

1945

El este de Asia sufre más del 70 % de los desastres naturales del mundo, y sus ciudades están amenazadas por el clima extremo y la elevación del nivel del mar. Japón sufrió en marzo de 2011 un terremoto, seguido de un **tsunami**, con enormes consecuencias, como el fallo de la central nuclear de Daiichi, en Fukushima.

En 2002, Timor Oriental, gobernada a la fuerza por Indonesia desde 1975, consigue la independencia y se incorpora a las Naciones Unidas.

Los **conflictos de Oriente Próximo** son de diversa índole: territoriales como Israel y Palestina, o Pakistán y la India, que se disputan la región de Cachemira; nucleares, como en Irán; étnicos, como entre chiíes y sunníes en el Líbano; o de protestas contra el gobierno como Yemen, Siria o Baréin. En 2011 la UNESCO admitió a Palestina como Estado miembro de pleno derecho.

Burj Dubai o Burj Khalifa (Emiratos Árabes). Es el edificio más alto del planeta en todas su categorías. Fue inaugurado en enero de 2010, y con sus 818 metros ha sobrepasado con creces todas las estructuras que anteriormente ostentaban ese récord, como el Taipei 101 (Taiwán), que mide 300 metros menos.

Océano
acífico

⁵
OR
NTAL   **OCEANÍA**

✴ Japón es considerado el país mejor preparado del mundo para afrontar catástrofes como los terremotos. Todo edificio debe seguir unos estrictos parámetros en los que se tienen en cuenta desde la cimentación a la distribución del peso.

Durante el siglo XIX, gran parte de Asia fue **colonizada** por países europeos. Estos nuevos gobernantes se llevaron riquezas, pero no ayudaron a las colonias a desarrollar sus industrias.

Durante el siglo pasado, en Asia se han producido grandes cambios sociales. Muchas colonias se liberaron de sus dominadores creando naciones independientes, como la India y Jordania. En los países donde una mayoría de población era pobre y gobernada por una reducida clase social adinerada, el **comunismo** parecía ser la respuesta. El sistema comunista, que en Asia surgió como la lucha por la liberación del yugo colonial, se implantó en los países del noreste asiático como Corea del Norte y China, y después en los países de Indochina. La idea del comunismo era que el pueblo compartiera los beneficios y el trabajo.

En 1965, EE. UU. bombardea Vietnam del Norte para detener la ayuda que este país daba a las guerrillas comunistas en Vietnam del Sur. En 1991 la Unión Soviética abandona el comunismo y, tras su disolución, repúblicas como Kazajistán y Uzbekistán se convierten en países independientes.

Tras los sucesos acaecidos a principios de 2011 en los países árabes del norte de África, países asiáticos como Jordania o Yemen remodelan sus gobiernos para evitar conflictos mayores. Otros, como Siria o Baréin, mantienen un pulso sobre posibles cambios políticos y sociales.

La **península arábiga** está bordeada por el mar Rojo **(1)** al oeste, los golfos Pérsico **(2)** y de Omán **(3)** al noreste, y el golfo de Adén **(4)** y el mar Arábigo **(5)** al sur. El mar Muerto **(6)** es un mar interior entre Israel, Jordania y los Territorios Palestinos que contiene grandes cantidades de sal, lo que hace su agua tan densa que se puede flotar en ella sin esfuerzo. También se le conoce como *lago Asfaltites*, por la acumulación de asfalto en sus orillas.

Península Arábiga

Mar Muerto. Lago de Asia occidental, situado entre Jordania e Israel, de 625 km² de extensión. La salinidad de sus aguas es muy elevada, lo que lo hace poco apto para la vida animal o vegetal, de ahí su nombre. Su superficie está 416 m bajo el nivel del mar, convirtiéndose en el punto más bajo en la superficie de la Tierra.

En **Capadocia**, Turquía central, se ha formado un paisaje extraño como resultado de erupciones de lava del ahora extinto volcán Erciyes. Con el paso del tiempo, la lluvia ha erosionado la roca volcánica, haciendo posibles estas puntiagudas y espectaculares formaciones.

Bahrain	Iran	Iraq	Israel	Jordan	Kuwait	Lebanon	Oman
Bahréin	Irán	Irak	Israel	Jordania	Kuwait	Líbano	Omán

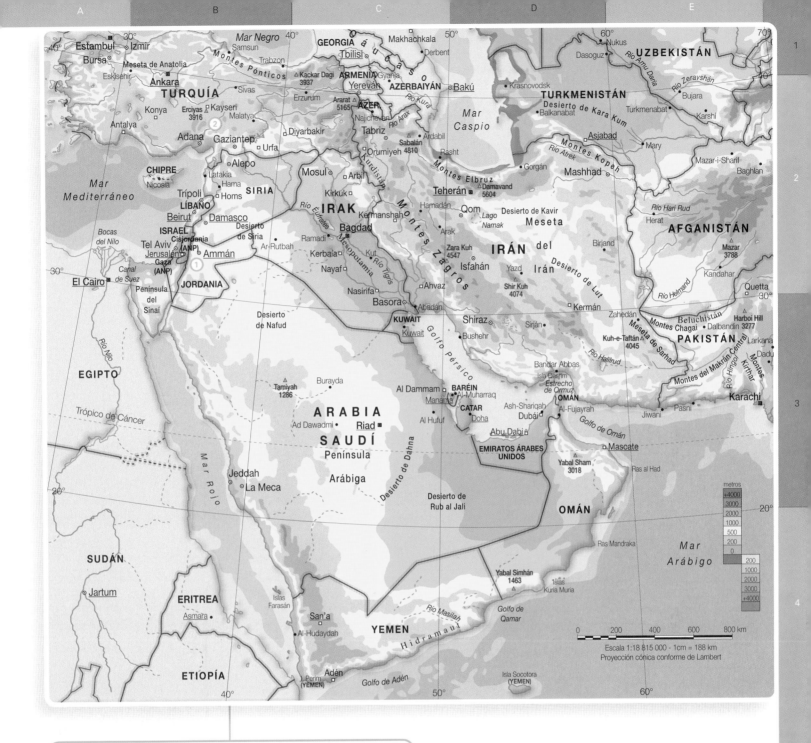

Autoridad Nacional Palestina
Arabia Saudí
Baréin
Catar
Emiratos Árabes Unidos
Irak
Irán
Israel

Jordania
Kuwait
Líbano
Omán
Siria
Turquía
Yemen

ASIA

PRÓXIMO y MEDIO ORIENTE

Palestinian National Authority
A.N. Palestina

Qatar
Catar

Saudi Arabia
Arabia Saudí

Syria
Siria

Turkey
Turquía

United Arab Emirates
Emiratos Árabes Unidos

Yemen
Yemen

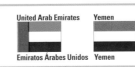

ASIA

RUSIA ASIÁTICA

Russian Federation

Federación Rusa

①

Las **matrioskas** son muñecas de madera pintadas, que se abren por la mitad, cuyo interior hueco guarda otra figura similar, que a su vez acoge a otra y así, hasta la más pequeña que es maciza.

②

El **transiberiano** es uno de los trenes más famosos del mundo. El recorrido une el este y el oeste de Rusia, desde Moscú a Vladivostok, atravesando Siberia, de ahí su nombre.

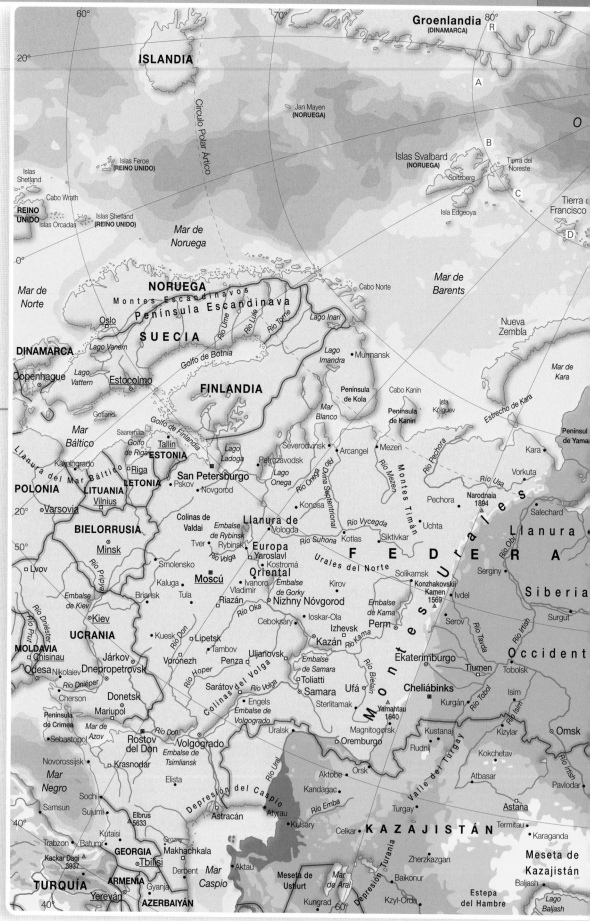

Groenlandia (DINAMARCA)

ISLANDIA

Islas Feroe (REINO UNIDO)

Jan Mayen (NOREGA)

Islas Svalbard (NORUEGA)

Spitzberg

Tierra del Noreste

Isla Edgeoya

Tierra de Francisco

Islas Shetland

Cabo Wrath

REINO UNIDO

Islas Orcadas

Islas Shetland (REINO UNIDO)

Círculo Polar Ártico

Mar de Noruega

Mar de Barents

Cabo Norte

Nueva Zembla

Mar de Kara

Mar de Norte

NORUEGA

Montes Escandinavos

Península Escandinava

Oslo

Lago Vanern

SUECIA

Río Ume

Río Lule

Río Torne

Lago Inari

Murmansk

Península de Kola

Cabo Kanin

Isla Kólguev

Estrecho de Kara

Península de Yama

DINAMARCA

Copenhague

Lago Vattern

Estocolmo

Golfo de Botnia

FINLANDIA

Lago Imandra

Mar Blanco

Península de Kanin

Kara

Vorkuta

Río Usa

Gotland

Mar Báltico

Saaremaa

Golfo de Riga

Golfo de Finlandia

Tallin

ESTONIA

San Petersburgo

Lago Ladoga

Severodvinsk

Arcangel

Mezen

Río Pechora

Narodnaia 1894

Salechard

Llanura del Mar Báltico

Kaliningrado

Riga

LETONIA

Pskov

Novgorod

Lago Onega

Petrozavodsk

Río Onega

Río Dvina Septentrional

Kotlas

Pechora

Uchta

Montes Timán

Río Mezen

POLONIA

LITUANIA

Vilnius

Colinas de Valdai

Embalse de Rybinsk

Vologda

Konosa

Río Vycegda

Siktivkar

Urales del Norte

F E D E R A

Varsovia

BIELORRUSIA

Tver

Rybinsk

Europa

Río Suhona

Llanura de

Llanura del Obi

BIELORRUSIA

Minsk

Smolensko

Río Volga

Yaroslavl

Kostromá

Urales del Norte

Serginy

Siberia

Lvov

Río Pripyat

Kaluga

Moscú

Ivanovo

Kirov

Solikamsk

Konzhakovskii Kamen 1569

Ivdel

Serov

Surgut

Embalse de Kiev

Briansk

Tula

Vladimir

Riazán

Embalse de Gorky

Embalse de Kama

Perm

Río Tavda

Río Irtish

O c c i d e n t

Kiev

Río Dniéster

Río Oka

Nizhny Nóvgorod

Ioskar-Ola

Izhevsk

Embalse de Samara

Ekaterimburgo

Tiumen

Tobolsk

UCRANIA

Kuesk

Río Don

Lipetsk

Ceboksary

Kazán

Río Kama

Ufá

Cheliábinks

Isim

Río Tobol

Omsk

MOLDAVIA

Chisinau

Nikolaiev

Járkov

Dnepropetrovsk

Tambov

Penza

Uljanovsk

Toliatti

Samara

Kurgán

Río Isim

Odesa

Río Dniéper

Voronezh

Río Hoper

Sarátov del Volga

Río Volga

Sterlitamak

Yamantau 1640

Magnitogorsk

Kustanay

Kizylar

Cherson

Donetsk

Colinas del Volga

Engels

Embalse de Volgogrado

Uralsk

Oremburgo

Rudnij

Kokchetav

Península de Crimea

Mariupol

Mar de Azov

Río Don

Rostov del Don

Volgogrado

Orsk

Aktobe

Atbasar

Pavlodar

Sebastopol

Novorossijsk

Krasnodar

Embalse de Tsimliansk

Elista

Depresión del Caspio

Río Emba

Kandagac

Turgay

Valle del Turgay

Astana

Mar Negro

Sochi

Río Ural

Astracán

Atyrau

Kulsáry

Celkar

K A Z A J I S T Á N

Termitau

Karaganda

Samsun

Sujumi

Elbrus 5633

GEORGIA

Tbilisi

Makhachkala

Derbent

Mar Caspio

Aktau

Meseta de Ushurt

Mar de Aral

Depresión Turania

Baikonur

Zherzkazgan

Baljash

Meseta de Kazajistán

Trabzon

Batumi

Kackar Dagi 3937

TURQUÍA

Yereván

ARMENIA

AZERBAIYÁN

Grozny

Gyanja

Kungrad

Kzyl-Orda

Baikonur

Estepa del Hambre

Lago Baljash

El lago Baikal es considerada la reserva de agua dulce más grande del mundo ya que contiene el 20 % de las aguas continentales no heladas. Su superficie sería de un tamaño equivalente a Bélgica o Dinamarca.

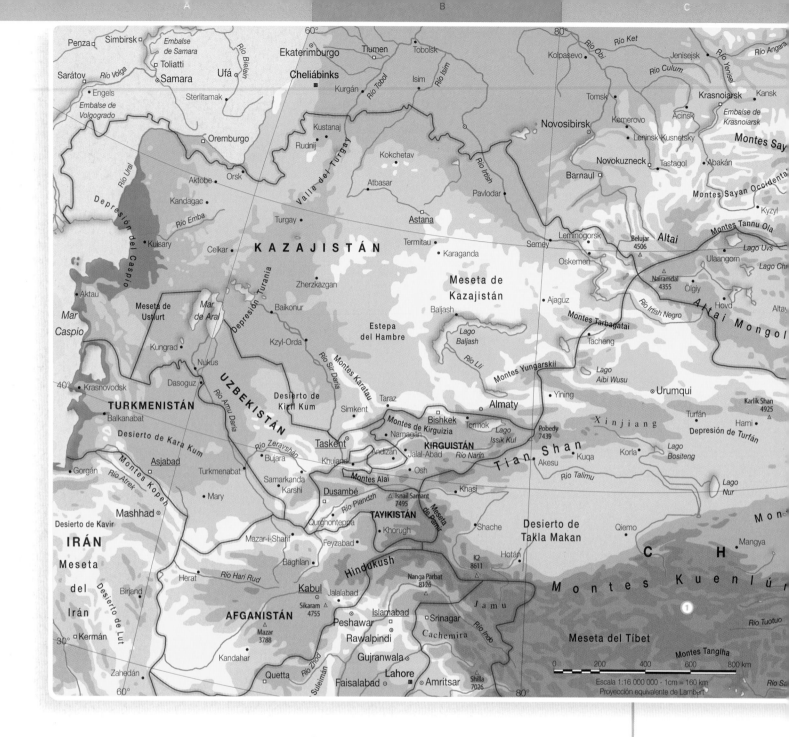

Penza   Simbirsk   *Embalse de Samara*   Ekaterimburgo   Tiumen   Tobolsk   Kolpaşevo   *Río Ket*   Jenisejsk   *Río Angara*

Sarátov   *Río Volga*   Toliatti   Ufá   Cheliábinks   Isim   *Río Obi*   *Río Culum*   *Río Yenisei*

Engels   Samara   Sterlitamak   Kurgán   *Río Tobol*   Tomsk   Krasnoiarsk   Kansk

Embalse de Volgogrado   Oremburgo   Rudnij   Kustanaj   Kokchetav   Novosibirsk   Kemerovo   Leninsk-Kusnetsky   *Embalse de Krasnoiarsk*   Montes Say

Aktobe   Orsk   Atbasar   Pavlodar   Barnaul   Novokuzneck   Tastagol   Abakán   Montes Sayan Occidenta

Kandagac   *Río Emba*   Turgay   Astana   *Río Irtish*   Kyzyl

Depresión del Caspio   Kulsary   Celkar   **KAZAJISTÁN**   Termitau   Karaganda   Semey   Leminogorsk   Belujar 4506   Altai   Montes Tannu Ola

Aktau   *Meseta de Usturt*   Zherzkazgan   Meseta de Kazajistán   Ajaguz   Oskemen   Naïramdal 4355   *Lago Uvs*   Ulaangom   *Lago Chi*

Mar Caspio   *Mar de Aral*   Baikonur   *Depresión Turania*   Baljash   *Lago Baljash*   Montes Tarbagatai   Ölgiy   Hovd   Altai

Kungrad   Kzyl-Orda   *Estepa del Hambre*   *Río Ili*   Tacheng   *Río Irtish Negro*   *Altai Mongol*

Nukus   **UZBEKISTÁN**   *Río Sir Daria*   Montes Yungarskii   *Lago Aibi Wusu*

Krasnovodsk   Dasoguz   Desierto de Kizil Kum   Taraz   Almaty   Yining   Urumqui   Karlik Shan 4925

TURKMENISTÁN   *Río Amu Daria*   Simkent   *Xinjiang*   Turfán   Hami

Balkanabat   Montes Karatau   Bishkek   Tormok   Pobedy 7439   Depresión de Turfán

Montes de Kirguizia   Namangán   *Lago Issik Kul*   Tian Shan   Kuqa   *Lago Bositeng*

Asjabad   *Montes Kopeh*   *Río Zeravshan*   Taskent   Andizán   **KIRGUISTÁN**   *Río Narin*   Akesu   Korla

Gorgán   Bujara   Khujand   Jalal-Abad   Osh   *Río Talimu*   *Lago Nur*

Desierto de Kara Kum   Samarkanda   Karshi   Montes Alai   Khasi

Mashhad   Turkmenabat   Mary   Dusambé   Ismail Samant 7495   *Meseta de Pamir*

Desierto de Kavir   *Río Piandzh*   **TAYIKISTÁN**   Shache   Desierto de Takla Makan   Qiemo   Mon

IRÁN   Mazar-i-Sharif   Qurghonteppa   Khorugh   Shache   Mangya

Meseta   Feyzabad   Hotán   **CH**

del   Baghlan   Hindukush   K2 8611   Montes Kuenlú

Irán   Herat   *Río Hari Rud*   Nanga Parbat 8126   Meseta del Tíbet   *Río Tuotuo*

Birjand   Kabul   Jalalabad   *Jamu*   ①

Kermán   Sikaram 4755   **AFGANISTÁN**   Islamabad   Srinagar   *Cachemira*   *Río Indo*

Mazar 3788   Peshawar   *Río Zhod*   Rawalpindi   Montes Tanglha   200   400   600   800 km

Zahedán   Kandahar   Gujranwala   Lahore

Quetta   Faisalabad   Amritsar   Shilla 7026   Escala 1:16 000 000 - 1cm = 160 km   Proyección equivalente de Lambert   *Río Sa*

60°   80°

ASIA

CENTRAL y
LEJANO ORIENTE

Afganistán	Kirguistán
China	Mongolia
Corea del Norte	Taiwán
Corea del Sur	Tayikistán
Japón	Turkmenistán
Kazajistán	Uzbekistán

Afghanistan / Afganistán

China / China

Japan / Japón

Kazakhstan / Kazajistán

Kyrgyzstan / Kirguistán

Mongolia / Mongolia

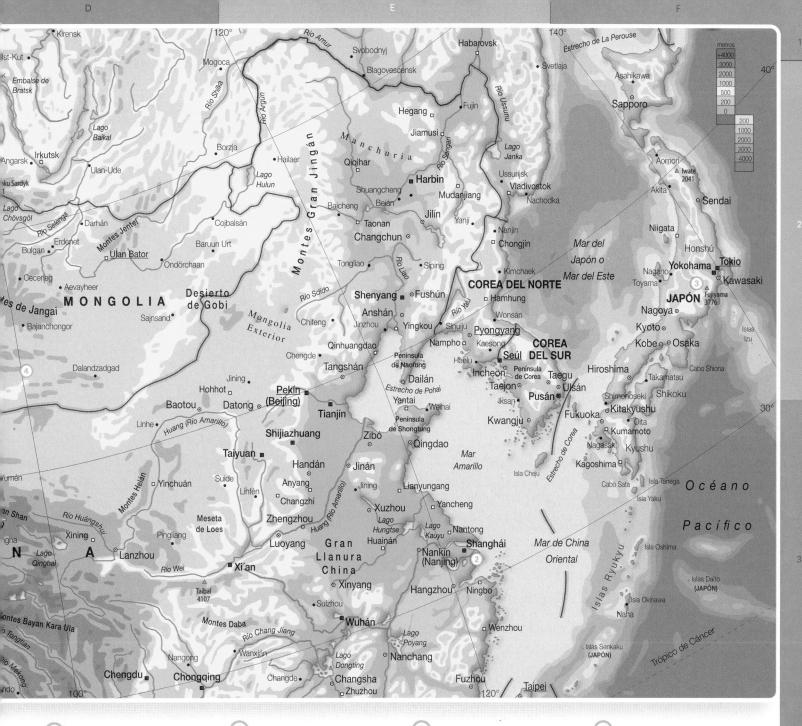

Kirensk
Río Amur
Svobodnyj
Habarovsk
Estrecho de La Perouse
Mogoca
Blagovescénsk
Svetlaja
Asahikawa
40°
Embalse de Bratsk
Río Shilka
Río Argun
Hegang
Fujin
Río Ussuri
Sapporo
Lago Baikal
Borzja
Hailaer
Jiamusi
Lago Janka
Aomori
Iwate 2041
Irkutsk
Ulan-Ude
Qiqihar
Shuangcheng
Manchuria
Río Sengari
Ussurijsk
Akita
Angarsk
Harbin
Mudanjiang
Vladivostok
Sardyk
Lago Hulun
Baicheng
Beián
Nachodka
Sendai
Lago Chövsgöl
Río Selenga
Darhán
Cojbalsán
Taonan
Jilín
Yanji
Niigata
Honshú
Erdenet
Montes Jenter
Baruun Urt
Changchun
Nanjin
Chongjin
Mar del Japón o Mar del Este
Nagano
Toyama
Yokohama
Tokio
Bulgan
Ulan Bator
Ondörchaan
Tongliao
Siping
Kimchaek
COREA DEL NORTE
Nagoya
JAPÓN
Kawasaki
Cecerleg
Aevayheer
Río Sdido
Shenyang
Fushún
Hamhung
Pyongyang
Kyoto
Fujiyama 3776
MONGOLIA
Sajnsand
Chifeng
Anshán
Yingkou
Jinzhou
Sinuiju
Wonsán
Kaesong
Seúl
COREA DEL SUR
Kobe
Osaka
Islas Izu
Desierto de Gobi
Mongolia Exterior
Qinhuangdao
Chengde
Península de Naofung
Dailán
Nampho
Haelu
Incheon
Península de Corea
Taegu
Hiroshima
Cabo Shiona
Bajanchongor
Dalandzadgad
Jining
Hohhot
Tangshán
Yantai
Weihai
Taejon
Pusán
Ulsán
Takamatsu
Shikoku
30°
Baotou
Datong
Pekín (Beijing)
Tianjin
Estrecho de Pohai
Península de Shongtung
Kwangju
Iksan
Fukuoka
Shimonoseki
Kitakyushu
Oita
Linhe
Huang (Río Amarillo)
Shijiazhuang
Zibó
Qingdao
Kumamoto
Kyushu
Yinchuán
Taiyuan
Handán
Jinán
Mar Amarillo
Nagasaki
Kagoshima
Suide
Anyang
Jining
Lianyungang
Isla Cheju
Estrecho de Corea
Xining
Pingliang
Linfén
Changzhí
Xuzhou
Yancheng
Océano
Lanzhou
Zhengzhou
Huang (Río Amarillo)
Lago Hungtse
Huainán
Lago Kauyu
Nantong
Cabo Sata
Isla Tanega
Isla Yaku
Pacífico
Río Wei
Xi'an
Gran Llanura China
Xinyang
Nankín (Nanjing)
Shanghái
Mar de China Oriental
Islas Ryukyu
Isla Oshima
Taibal 4107
Hangzhou
Ningbo
Islas Daito (JAPÓN)
Montes Bayan Kara Ula
Montes Daba
Río Chang Jiang
Wuhán
Wenzhou
Isla Okinawa
Naha
Nangong
Wanxján
Lago Poyang
Nanchang
Islas Senkaku (JAPÓN)
Trópico de Cáncer
Chengdu
Chongqing
Changde
Lago Dongting
Changsha
Zhuzhou
Fuzhou
Taipei
120°

En el **Himalaya** nacen algunos de los ríos más grandes del mundo como el Ganges, Indo, Brahmaputra y Yangtsé, entre otros.

El **maglev** o tren de levitación magnética es un transporte suspendido en el aire por encima de la vía y propulsado por magnetismo.

El **Fujiyama** con 3776 m de altura, en la isla de Honshu, es el volcán y a su vez la cumbre más alta de Japón.

Camello bactriano en el desierto de Mongolia. Es una de las especies en mayor peligro de extinción del mundo.

North Korea	South Korea	Taiwan	Tajikistan	Turkmenistan	Uzbekistan
Corea del Norte	Corea del Sur	Taiwán	Tayikistán	Turkmenistán	Uzbekistán

ASIA

INDOSTÁN y SUDESTE ASIÁTICO

Bangladés
Birmania
Brunéi
Bután
Camboya
Filipinas
India
Indonesia
Laos
Malasia
Maldivas
Nepal
Pakistán
Singapur
Sri Lanka
Tailandia
Timor Oriental
Vietnam

Chagos (UK)
Cocos y Chrismas (AU)

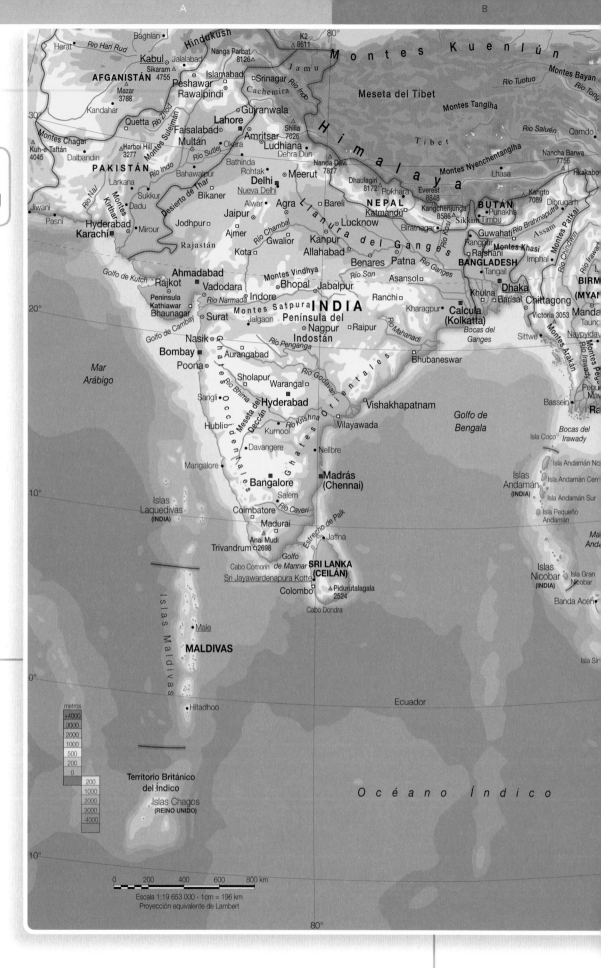

Herat · Río Hari Rud · Bághlan · Hindukush · Montes Kuenlún

Kabul · Jalalabad · Nanga Parbat 8126 · K2 8611 · Jamu · Río Tuotuo · Montes Bayan
AFGANISTÁN 4755 · Sikaram · Islamabad · Srinagar Río Indo · Meseta del Tíbet · Montes Tanglha · Río Saluén
Mazar 3788 · Peshawar · Rawalpindi · Cachemira · Tibet · Qamdo
Kandahar · Güiranwala · Lahore · Shilla 7026 · Himalaya · Nancha Barwa 7756
Quetta · Río Zhob · Faisalabad · Amritsar · Akabuo
Montes Chagai · Harboi Hill 3277 · Multán · Ludhiana · Nanda Devi 7817 · Dhaulagiri 8172 · Everest 8848 · Kangto 7089 · Dibrugarh
Kuh-e Taftán 4045 · Dalbandin · Larkana · Bahawalpur · Río Sutlej · Bathinda · Rohtak · Meerut · Pokhara · Kangchenjunga 8586 · BUTÁN · Sikkim Timbu
PAKISTÁN · Sukkur · Bikaner · Delhi · NEPAL · Katmandú · Rangpur · Guwahati
Jiwani · Dadu · Nueva Delhi · Alwar · Agra · Bareli · Lucknow · Biratnagar · Rajshahi · Montes Khasi · Assam
Pasni · Hyderabad · Jodhpur · Jaipur · Río Chambal · Kanpur · Patna · BANGLADESH · Imphal · Montes Patkai
Karachi · Ajmer · Kota · Gwalior · Allahabad · Río Ganges · Dhaka · Tangail · BIRM (MYAN)
Golfo de Kutch · Rajastán · Benares · Río Son · Asansol · Khulna · Chittagong
Ahmadabad · Rajkot · Montes Vindhya · Bhopal · Jabalpur · Ranchi · Kharagpur · Calcula (Kolkatta) · Barisal
Península Kathiawar · Vadodara · Indore · INDIA · Raipur · Bocas del Ganges · Victoria 3053 · Manda
Bhaunagar · Surat · Montes Satpura · Nagpur · Península del Indostán · Sittwe · Taung
Golfo de Cambay · Jalgaon · Río Narmada · Bhubaneswar · Naypyidaw
Nasik · Aurangabad · Río Penganga · Río Godavari · Ghates Orientales · Montes Arakán
Mar Arábigo · Bombay · Poona · Sholapur · Warangal · Río Krishna · Vijayawada · Bocas del Irawady · Bassein · Ra
Sangli · Río Bhima · Hyderabad · Kurnool · Vishakhapatnam · Golfo de Bengala · Pegu · Mav
Hubli · Deccán · Nellore · Isla Coco · Isla Andamán No
Davangere · Ghates Occidentales · Islas Andamán (INDIA) · Isla Andamán Cen
Mangalore · Bangalore · Madrás (Chennai) · Isla Andamán Sur
Salem · Isla Pequeño Andamán
Islas Laquedivas (INDIA) · Coimbatore · Río Caveri · Madurai
Anai Mudi 2698 · Trivandrum · Jaffna · Estrecho de Palk · Islas Nicobar (INDIA) · Isla Gran Nicobar · Ma And
Golfo de Mannar · SRI LANKA (CEILÁN) · Banda Aceh
Cabo Comorin · Sri Jayawardenapura Kotte · Pidurutalagala 2524 · Isla Nicobar
Colombo · Cabo Dondra · Isla Gran
Islas Maldivas · Male · MALDIVAS
Ecuador
Hitadhoo
Océano Índico

metros
+4000
3000
2000
1000
500
200
0
200
1000
2000
3000
4000

Territorio Británico del Índico
Islas Chagos (REINO UNIDO)

0 200 400 600 800 km
Escala 1:19 653 000 - 1cm = 196 km
Proyección equivalente de Lambert

A   B

Bangladesh
Bangladés

Bhutan
Bután

Burma (Myanmar)
Birmania

Brunei
Brunéi

Cambodia
Camboya

India
India

Indonesia
Indonesia

Lao
Laos

Malaysia
Malasia

Maldives
Maldivas

Nepal
Nepal

Pakistan
Pakistán

Philippines
Filipinas

Singapore
Singapur

Sri Lanka
Sri Lanka

Thailand
Tailandia

Timor-Leste
Timor Oriental

Vietnam
Vietnam

EUROPA
FÍSICA

Superficie:
10 531 623 km²
Habitantes:
735 000 000
Punto más elevado:
Elbrus (Rusia) 5633 m
Punto más bajo:
Mar Caspio (Rusia)
28 m bajo el nivel del mar
Río más largo:
Volga 3531 km
Lago más grande:
Ladoga (Rusia) 12 388 km²
País más grande:
Federación Rusa
País más pequeño:
Ciudad del Vaticano

Playa de la Marina. La zona más meridional de Portugal es El Algarve, convertida en los últimos años en uno de los destinos turísticos más visitados de Portugal.

Suiza es uno de los países más accidentados del mundo. Las montañas constituyen más del 70 % de su superficie.

Europa está situada en uno de los lugares más favorables para la vida humana, pues casi toda su superficie se encuentra en la zona templada del hemisferio norte. Está rodeada por el océano Glacial Ártico al norte, el Atlántico al oeste, los mares Mediterráneo y Egeo, por el sur, y los mares Negro y Caspio y los montes Urales por el este, siendo sus costas las más recortadas de entre todos los continentes, sobre todo en la franja occidental, donde abundan penínsulas e islas.

Europa es uno de los continentes más pequeños del planeta. Limita al sur con el mar Mediterráneo, al oeste con el océano Atlántico, al norte con el oceáno Glacial Ártico, al este con el mar Caspio y los montes Urales, frontera natural con el continente asiático, que forma parte de la misma masa terrestre. Europa se compone de una **gran llanura central** bordeada al norte por **montañas viejas** (Montes Escandinavos) y al sur por **montañas jóvenes** (Pirineos, Alpes, Balcanes y Cárpatos).

El **clima** de Europa es variado pero, en general, suave como corresponde a su situación en la zona templada de la Tierra; además, también contribuye a ello su situación respecto al océano Atlántico y su latitud.

La **vegetación** se caracteriza en el extremo septentrional por los arbustos y las plantas con flores, a continuación se suceden los bosques norteños de coníferas, en la Europa central predominan los prados, y ya en la zona meridional, la vegetación mediterránea (encina, roble, matorrales...).

Los **ríos** europeos están determinados por factores geográficos, de ahí sus diferencias, puesto que los situados en la parte oriental, como el Danubio, el Volga o el Ural, son largos y caudalosos; los que discurren por los países occidentales, como el Rin y el Elba, son cortos, y más cortos todavía los que desembocan en el mar Mediterráneo. Existen además numerosos lagos, especialmente en el norte.

Europa también cuenta con un gran número de islas, como Gran Bretaña, Irlanda e Islandia, y otras al sur repartidas por el mar Mediterráneo, entre las que figuran Sicilia, Cerdeña, Chipre, Córcega o Creta, además de archipiélagos como el de las Illes Balears o los del mar Egeo (Jónicas, Eólicas y Cíclicas).

EUROPA
POLÍTICA

Imagen de satélite nocturna. Las grandes ciudades españolas son las más iluminadas de Europa. Las principales capitales y ciudades europeas son muy fáciles de localizar en el mapa, como Madrid, París, Londres y Berlín.

ISLANDIA
Ísafjördur
Saudárkrókur
Akureyri
Keflavik
Reykiavik
Höfn

Círculo Polar Ártico

Mar de Noruega

Islas Feroe

Tromsö
Narvik
Bodo
Kiruna
Rovaniemi
Lulea

Mar de Barents
Murmansk
Monchegorsk
Apatity
Mar Blanco
Arcángel
Severodvinsk
Karpogory
Mezen
Siktiv

NORUEGA
Namsos
Steinkjer
Trondheim
Kristiansund
Bergen
Lillehammer
Oslo
Skien
Stavanger
Kristiansand

SUECIA
Östersund
Sundsvall
Umea
Uppsala
Västerås
Örebro
Norrköping

FINLANDIA
Skelleftea
Oulu
Vaasa
Tampere
Pori Lahti
Turku
Aland
Espoo
Helsinki
Viborg
San Petersburgo

Lieksa
Mikkeli

Segezha
Kondopoga
Petrozavodsk

Vologda
Cherepovets
Kostromá
Rybinsk
Ivanoro

Islas Shetland

Islas Orcadas
Wick
Inverness
Aberdeen

Islas Hébridas

Stornoway

Glasgow
Edimburgo
Newcastle

Irlanda del Norte
Belfast
REINO UNIDO
Galway
Dublín
IRLANDA
Cork
Liverpool
Manchester
Leeds
Sheffield
Birmingham
Oxford
Cambridge
Cardiff
Londres
Plymouth
Brighton
Dover
Calais

Mar del Norte

Gotemburgo
Fredriksberg
Arborg
Viborg
Kalmar
Öland
Copenhague
Lund
Malmö
DINAMARCA

ESTOCOLMO
Estocolmo
Saaremaa
Gotland

Tallin
ESTONIA
Pärnu
Pskov
Ostrov
Riga
Valmiera
LETONIA
Vitebsk
Panevezys
LITUANIA
Kaunas
FEDERACIÓN RUSA
Vilnius
Kaliningrado

Nóvgorod
Tver
Vyazma
FEDERAC
Moscú
Riaza

Koloma

Yaroslavl
Vladímir

Lübeck
Rostock
Szczecin
Gdansk
Hamburgo
PAÍSES BAJOS
Bremen
Hannover
Ámsterdam
Rotterdam
Duisburgo
Essen
Düsseldorf
Colonia
Bruselas
Gante
BÉLGICA
El Havre
LUXEMBURGO
Luxemburgo
Mainz
Frankfurt
Mannheim
Nürenberg

Berlín
ALEMANIA
Poznan
Wroclaw
Dresde

POLONIA
Varsovia
Lódz
Lublin
Kielce
Gliwice
Bítom
Cracovia

Minsk
BIELORRUSIA
Baranovici
Pinsk
Mozyr

Kovel
Korosten
Kiev
Brovary
Bila Tserkva

Klincy
Roslavl
Briansk

Chernigov
Gómel

Járkov
Poltava

UCRANIA
Dnepropetrovsk
Donet

PORTUGAL
Lisboa
Setúbal
Évora
Beja
Lagos
Faro

ESPAÑA
Madrid
Toledo
Cáceres
Badajoz
Córdoba
Huelva
Sevilla
Cádiz
Málaga
Granada
Almería
Algeciras
Gibraltar (R.U.)
Ceuta (Esp.)
Melilla (Esp.)

A Coruña
Ferrol
Gijón
Oviedo
Santander
Bilbao
León
Burgos
Valladolid
Salamanca
Zaragoza
Logroño
Tudela
Lleida
Sabadell
Barcelona
L'Hospitalet de Llobregat
Tarragona
Valencia
Albacete
Elche/Elx
Alicante/Alacant
Murcia
Jaén
Vigo
Ourense
Oporto
Braga
Coimbra

Maó
Palma
Illes Balears
Eivissa

OCÉANO ATLÁNTICO

Azores

Madeira

Mar Cantábrico

Brest
Caen
Le Havre
Nantes
Angers
Poitiers
Tours
Orléans
París
Reims
Metz
Estrasburgo
Le Mans
Mulhouse
Dijon
FRANCIA
Burdeos
S Étienne
Lyon
Grenoble
Toulouse
Montpellier
Pau
Narbona
ANDORRA
Perpiñán
Marsella
Niza
MÓNACO
Montecarlo
Bastia

Córcega
Ajaccio

Cerdeña
Cagliari

Mar Tirreno
Palermo
Sicilia
Catania
Siracusa
Messina

SUIZA
Ginebra
Lausana
Berna
Zürich
Munich
Basilea
LIECHTENSTEIN
Vaduz
AUSTRIA
Graz
Salzburgo
Viena

Friburgo
Stuttgart
Budejovice

REPÚBLICA CHECA
Praga
České
Ústí
Žilina
Košice

ESLOVAQUIA
Bratislava

HUNGRÍA
Budapest
Pécs
Arad

Brno
Bratislava

RUMANÍA
Oradea
Cluj-Napoca
Timisoara
Sibiu
Brasov
Ploiesti
Bucarest
Craiova

MOLDAVIA
Iasi
Chisinau

Chernovtsi
Bistrita

Odesa
Nikolaiev
Simferopol
Sebástopol

Mar Ne

ESLOVENIA
Liubliana
Zagreb
CROACIA
Pula
Zadar

Bérgamo
Milán
Verona
Venecia
Turín
Parma
Génova
Bolonia
Módena
Ravena
San-Marino
Pisa
Split

SERBIA
Belgrado
Carak
Nis

BOSNIA Y HERZEGOVINA
Sarajevo

MONTENEGRO
Podgorica

Pleven
Sliven

BULGARIA
Sofía
Plovdiv

Varna
Burgas

ITALIA
Florencia
Roma
VATICANO
Latina
Nápoles
Salerno
Pescara
Foggia
Bari
Lecce
Cosenza
Catanzaro
Reggio di Calabria

MALTA
La Valeta

Mar Jónico

MACEDONIA
Skopje
Shkodra
Tirana
ALBANIA
Vlorë
Ioanina

GRECIA
Atenas
Patras
El Pireo
Kalamata
Larisa
Tesalónica
Alexandrópolis
TURQUÍA
Estambul
Kosovo
Prístina

Islas Jónicas

L'Alguer

Mar Egeo
Islas
Candia
Creta

Mar Mediterráneo

ÁFRICA

0 200 400 600 800 km

Las **Casas del Parlamento**, sede del gobierno del Reino Unido, se elevan sobre la ribera del río Támesis a su paso por Londres. El Big Ben es el reloj del palacio de Westminster, declarado patrimonio de la humanidad en 1987.

La acrópolis era el lugar más elevado de las antiguas ciudades helénicas y, casi siempre, fortificado. La más famosa es la de Atenas, notable por su riqueza monumental y su importancia militar desde la Antigüedad hasta la Edad Media. En ella se alza el **Partenón**, construido en honor a Atenea, diosa de la ciudad. Desde esta acrópolis se puede divisar todo el conjunto urbano.

Venecia es una ciudad de Italia a orillas del mar Adriático, edificada sobre una agrupación de 118 islas unidas por, aproximadamente, 400 puentes, y cruzada por casi 200 canales. En lugar de calles hay canales, y para desplazarse se utilizan las típicas góndolas.

✳ La Torre Eiffel (323 m) fue construida en 1889 para la Exposición Universal de París y en conmemoración del centenario de la Revolución Francesa. Los parisinos también la denominan La Gran Dama.

A lo largo de la historia, Europa ha ejercido gran influencia sobre la política mundial. Los antiguos griegos fueron los primeros en desarrollar la idea de **democracia**, aproximadamente en el 450 a. C. Este sistema, donde el Gobierno es elegido por el pueblo, está muy extendido en la actualidad.

Europa es el continente con mayor **densidad de población** del planeta, pero esta se encuentra desigualmente repartida, concentrándose principalmente en las regiones más industrializadas. Por ejemplo, Bélgica y Países Bajos tienen más de 300 habitantes por km^2, mientras que Noruega tiene 13 e Islandia tan solo 2 habitantes por km^2.

Dentro de Europa se han creado organizaciones que fomentan la cooperación económica y política entre sus miembros: la **Unión Europea** (EU), que reúne a 27 países, y la **Comunidad de Estados Independientes** (CEI), formada por la mayoría de las antiguas repúblicas soviéticas.

Las **fronteras** políticas de Europa han sido modificadas durante siglos, pero los mayores cambios se han llevado a cabo en el siglo XX. De los 47 países del continente, 22 se constituyeron en el siglo pasado: la unificación de Alemania, la división de la **Unión Soviética** (Armenia, Azerbaiyán, Bielorrusia, Estonia, Georgia, Kazajistán, Kirguistán, Letonia, Lituania, Moldavia, Rusia, Tayikistán, Turkmenistán, Ucrania, Uzbekistán), la división de **Checoslovaquia** (República Checa y Eslovaquia) y la de **Yugoslavia** (Serbia, Eslovenia, Bosnia y Herzegovina, Croacia, Macedonia y Montenegro). Entre los Estados más antiguos se encuentra el de San Marino, que es la república más antigua del mundo.

EUROPA
CULTURAL

La **catedral de Florencia** (Santa Maria dei Fiori) es un ejemplo supremo de la arquitectura del Renacimiento: la época del renacer de las artes y la cultura. Fue diseñada por Filippo Brunelleschi en 1420, pero se terminó 15 años después de su muerte.

Grandes grupos lingüísticos

- Lenguas germánicas y anglosajonas
- Lenguas románicas
- Lenguas eslavas
- Lenguas bálticas
- Lenguas célticas
- Lenguas urálicas
- Griego
- Turco
- Finés y estonio
- Vasco
- Albanés
- Húngaro
- Armenio
- Georgiano
- Abjasio
- Otros

Galés Lenguas

Religiones

- † Catolicismo
- ✷ Protestantismo
- † Ortodoxos
- ☾ Islam

OCÉANO ATLÁNTICO

Mar de Barents

Lapón

Urálicas

Lapón

Careliano

ISLANDIA
Islandés

Mar de Noruega

FINLANDIA
Finés

Feroe

SUECIA
Sueco

NORUEGA
Noruego

Sueco

ESTONIA
Estonio

Mar Báltico

FEDERACIÓN RUSA
Ruso

LETONIA
Letón

FEDERACIÓN RUSA

LITUANIA
Lituano

Escocés

Mar del Norte

DINAMARCA
Danés

FEDERACIÓN RUSA
Ruso

BIELORRUSIA
Bielorruso

IRLANDA
Irlandés

REINO UNIDO
Inglés

Frisón

POLONIA
Polaco

UCRANIA
Ucraniano

Galés

PAÍSES BAJOS
Neerlandés

ALEMANIA
Alemán

Checo

REPÚBLICA CHECA

Eslovaco

Ruso

MOLDAVIA

Bretón

BÉLGICA
LUXEMBURGO

ESLOVAQUIA

Húngaro

AUSTRIA

HUNGRÍA

Húngaro

Mar Cantábrico

FRANCIA
Francés

SUIZA

LIECHTENSTEIN

ESLOVENIA
Esloveno

Húngaro

RUMANÍA
Rumano

Mar Negro

CROACIA

Serbo-Croata

SERBIA

BULGARIA

Gallego

Vascos

Occitano

MÓNACO

SAN MARINO

BOSNIA Y HERZEGOVINA

Kosovo
Albanés

Búlgaro

TURQUÍA
Turco

ASIA

OCÉANO ATLÁNTICO

ANDORRA

Catalán

Corso

VATICANO

MONTENEGRO

MACEDONIA

PORTUGAL
Portugués

ESPAÑA
Castellano

Valenciano

ITALIA
Italiano

ALBANIA
Albanés

Catalán

Mar Tirreno

GRECIA

Mar Egeo

FEDERACIÓN RUSA
Ruso

Mar Jónico

CHIPRE
Griego
Turco

ÁFRICA

MALTA
Maltés

Mar Mediterráneo

La Unión Europea tiene veintitrés lenguas oficiales: alemán, búlgaro, checo, danés, eslovaco, esloveno, español, estonio, finés, francés, griego, húngaro, inglés, irlandés, italiano, letón, lituano, maltés, neerlandés, polaco, portugués, rumano y sueco.

La **pirámide del Louvre**, del arquitecto estadounidense de origen chino Leoh Ming Pei, es uno de los principales atractivos turísticos de París. Está realizada en aluminio y vidrio, con una inclinación de sus paredes de 51º, similar a la que tienen las pirámides egipcias.

Stonehenge es un gran templo prehistórico que se levanta en la llanura de Salisbury, en el sur de Inglaterra. La parte principal consiste en un amplio círculo de piedras puestas en pie. Pudo haber sido un calendario gigante, ya que las piedras están alineadas siguiendo el recorrido del sol.

Barriles de vino en bodega (Grecia). El origen del vino se remonta a miles de años atrás y tuvo lugar en la zona mediterránea, donde aún se encuentran los mejores productores de esta bebida en países como España, Italia, Grecia, Francia y Portugal.

El *kilt*, o falda tradicional, forma parte del traje nacional masculino de Escocia. Los diferentes colores y tramas varían según los clanes de las regiones que conforman las Highlands. Este diseño específico de los cuadros se denomina *tartán*.

El **Coliseo** es un anfiteatro erigido en época de los romanos. Está en Roma y su construcción se inició en el año 72, concluyéndose en el 80. Tenía un aforo para 100 000 espectadores, que acudían a presenciar las luchas de los gladiadores. En la Edad Media quedó en ruinas.

Torre de Belem, obra de Francisco de Arruda, construida entre 1515-1519 y situada en Lisboa. Es de estilo manuelino, influido por el arte español y mudéjar. En 1983 fue declarada patrimonio cultural de la humanidad.

ASIA

AJISTÁN
Kazako

Mar Caspio

checheno
io
jiano
RGIA **AZERBAIYÁN**
ARMENIA Azerí
Armenio
AZER.
Azerí

Al sur de Europa, el Mediterráneo ha jugado un papel fundamental en la historia como escenario en el que se han desarrollado **grandes civilizaciones** como la fenicia, egipcia, griega, cartaginesa, romana y árabe. Lo que llamamos *civilización occidental* se ha fraguado a orillas del Mediterráneo, propiciando el mar la mezcla de culturas y un enriquecimiento mutuo.

En la **Europa central** encontramos impresionantes castillos en el valle del Loira, así como ciudades repletas de arte e historia (París, Berlín, Bruselas, Brujas, Praga...). En Austria, con los restos históricos de un esplendoroso pasado y una gran sensibilidad musical, destacan las ciudades de Viena y Salzburgo.

La **Europa mediterránea**, la más turística de todas, posee también un rico patrimonio histórico y cultural, fruto de una intensa historia. Destacan las ciudades de Barcelona, Atenas, Marsella, Niza, Roma, Venecia, Florencia, Málaga, La Valeta, Dubrovnik...

La cultura de Europa se ha desarrollado en una misma diversidad de lenguas, historia, poderes... Son exponentes de esta cultura personajes históricos como Goethe, Diderot, Miguel Ángel, Kant, Velázquez, Newton, Cervantes, Galileo, Dante, Mozart, Ghirlandaio...

EUROPA
ECONÓMICA

Central geotérmica de Krafla (Islandia). La conversión de la energía geotérmica en electricidad consiste en hacer pasar el vapor de agua volcánico subterráneo a través de una turbina conectada a un generador y producir electricidad. Islandia tiene, en la actualidad, el mayor sistema de calefacción geotérmico del mundo.

Materias primas

- Gas
- Madera
- Minería
- Petróleo
- Energía hidroeléctrica
- Áreas agrícolas
- Áreas ganaderas
- Áreas pesqueras
- Marisco

Principales producciones agrícolas y ganaderas

- Aceite de oliva
- Vino
- Trigo
- Arroz
- Cereales
- Cítricos
- Flores
- Fruta
- Frutas y verduras
- Lino
- Papas
- Remolacha
- Tabaco
- Té
- Verduras
- Cerdos
- Ovejas
- Vacas
- Renos
- Centro industrial

Principales áreas urbanas

- 1 millón de habitantes
- Turismo

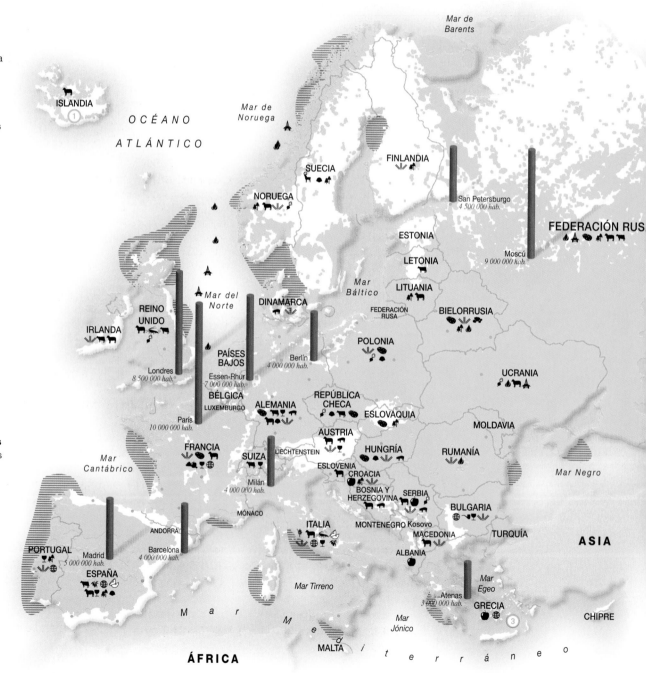

ISLANDIA

OCÉANO ATLÁNTICO

Mar de Noruega

Mar de Barents

SUECIA

FINLANDIA

NORUEGA

San Petersburgo
4 500 000 hab.

FEDERACIÓN RUS

ESTONIA

LETONIA

Moscú
9 000 000 hab.

LITUANIA

Mar Báltico

FEDERACIÓN RUSA

BIELORRUSIA

REINO UNIDO

Mar del Norte

DINAMARCA

IRLANDA

POLONIA

UCRANIA

PAÍSES BAJOS

Berlín
4 000 000 hab.

Londres
8 500 000 hab.

Essen-Rhur
7 000 000 hab.

BÉLGICA

LUXEMBURGO

ALEMANIA

REPÚBLICA CHECA

ESLOVAQUIA

MOLDAVIA

Paris
10 000 000 hab.

AUSTRIA

LIECHTENSTEIN

HUNGRÍA

RUMANÍA

FRANCIA

SUIZA

ESLOVENIA

CROACIA

Mar Cantábrico

Milán
4 000 000 hab.

BOSNIA Y HERZEGOVINA

SERBIA

BULGARIA

Mar Negro

OCÉANO ATLÁNTICO

MÓNACO

ANDORRA

ITALIA

MONTENEGRO Kosovo

MACEDONIA

TURQUÍA

ASIA

PORTUGAL

Madrid
5 000 000 hab.

Barcelona
4 000 000 hab.

ALBANIA

ESPAÑA

Mar Tirreno

Atenas
3 000 000 hab.

Mar Egeo

GRECIA

CHIPRE

Mar Mediterráneo

Mar Jónico

ÁFRICA

MALTA

La **Eurozona** o zona euro es el conjunto de Estados miembros de la Unión Europea que han adoptado el euro como moneda oficial: Alemania, Austria, Bélgica, Chipre, Eslovaquia, Eslovenia, Estonia, España, Finlandia, Francia, Grecia, Irlanda, Italia, Luxemburgo, Malta, Países Bajos y Portugal.

Isla de Santorini (Grecia). El turismo constituye un importante recurso económico para países menos industrializados como Portugal o Grecia, debido a sus atractivas playas, espacios naturales o patrimonio monumental. Una de las señas de identidad de esta isla griega de las Cícladas es la de utilizar burros para subir desde los puertos hasta pueblos como Fira u Oia.

 El euro se usa también en lugares fuera de la Unión Europea, como en Montenegro o en la autoproclamada República de Kosovo. Otros Estados que no forman parte de la UE y que asimismo utilizan el euro son Andorra, Mónaco, San Marino y el Vaticano.

ASIA

AZAJISTÁN

Mar Caspio

RGIA AZERBAIYÁN
RMENIA
AZER.

Europa no es un continente que posea un rico subsuelo, a diferencia de lo que ocurre en otras tierras continentales. A pesar de la carencia de recursos naturales, mantiene su importancia en la economía mundial debido a su alto nivel técnico, su tradición industrial y su red de comunicaciones. Entre los principales **yacimientos minerales**, destacan los carboníferos, fundamentalmente de hulla.

Entre las actividades industriales sobresale la producción de acero, que hace de la industria siderúrgica una de las principales actividades económicas y la base para una importante industria manufacturera. Europa es centro de importación de materias primas que, al ser procesadas, convierten al continente en la primera región empresarial en la rama de la industria **siderometalúrgica**.

La **agricultura** ocupa un lugar destacado en la economía europea. Gran parte de la población activa, sobre todo en la región oriental del continente, países bálticos y zona mediterránea se dedican al cultivo de la tierra, exportando productos reconocidos en todo el mundo, como el aceite de oliva y el vino.

El sector **ganadero** destaca especialmente en cuanto a producción de carne, leche y productos derivados.

Debido al gran número de kilómetros del litoral europeo, la **pesca** es una de las actividades económicas más importantes. Islandia, Dinamarca, Noruega, Reino Unido, Rusia y España son quizá los países donde mayor peso tiene este sector dentro de su economía.

EUROPA
ACTUALIDAD

Edificio de la Unión Europea en Bruselas (Bélgica). El Tratado de Maastricht (1993) sienta las bases de la Unión Europea (UE) y fija sus objetivos: mercado único sin aranceles y con libertad de movimiento para personas y mercancías; el euro como moneda única; y pautas comunes en materia de defensa y política exterior.

Islas Canarias
(España)
0   150 km

Madeira
(Portugal)
0   20 km

Islas Azores
(Portugal)
0   100 km

S.P. et Miquelon
(Francia)
0   10 km

Isla Reunión
(Francia)
0   20 km

Isla Mayotte
(Francia)
0   10 km

Martinica
(Francia)
0   20 km

Guadalupe
(Francia)
0   50 km

San Martín
(Francia)
0   10 km

Guayana Francesa
(Francia)
0   200 km

Año de adhesión a la UE
- 1957
- 1973
- 1981
- 1986
- 1995
- 2004
- 2007
- ✱ Países candidatos
- € ZONA EURO
- Estrasburgo Sede de la Unión europea

Estados asociados a otras organizaciones
- EFTA
- Ginegra Sede de la EFTA
- CEI
- Minsk Sede de la CEI

Población
- ← Flujos migratorios

Geopolítica
- ✸ Conflictos
- ✸ Tensiones

✱ ¿Sabías que en la bandera de la Unión Europea hay doce estrellas porque el número doce es tradicionalmente el símbolo de la unidad, lo completo y la perfección?

Muro de Berlín (Alemania). La II Guerra Mundial supuso la división de Alemania en dos bloques: República Democrática Alemana y República Federal de Alemania, separados por un muro que se levantó en la ciudad de Berlín. Actualmente, lo que queda de este muro se ha convertido en la galería de arte al aire libre más grande del mundo.

Crisis económica. A finales de 2008, Europa se ve afectada por la inestabilidad económica mundial originada por una crisis financiera global. Sus consecuencias fueron aumento del desempleo, déficit, morosidad... Países como Grecia, Irlanda y Portugal necesitaron el rescate económico de la Unión Europea.

✳ En 1994, el Reino Unido, constituido por Inglaterra, Escocia, Gales, Irlanda del Norte, así como la isla de Man y las islas del Canal, dejó de ser parte insular de Europa. A través de un túnel que atraviesa el canal de la Mancha, se puede viajar de Londres a París por tierra en apenas tres horas.

A lo largo de los siglos, el mapa de Europa ha sufrido grandes transformaciones desde la época de los grandes imperios hasta el siglo XXI. Es el continente con mayores cambios **geopolíticos** de límites y fronteras, siendo Kosovo el último país en declarar su independencia en 2008 con el apoyo de Estados Unidos y parte de la Unión Europea. Serbia, Rusia, España y otros países no reconocen a la República de Kosovo como Estado soberano, ya que todos estos países tienen movimientos independentistas dentro de sus fronteras.

El **Tratado de Lisboa** lo firmaron los representantes de todos los Estados miembros de la Unión Europea (UE) en Lisboa el 13 de diciembre de 2007, aunque no entró en vigor hasta el 1 de diciembre de 2009 porque Irlanda lo rechazó en un principio. Este tratado sustituye así al Tratado constitucional de 2004, que fue considerado un fracaso.

Desde 2008, la subida de los precios de las materias primas, la desestabilización de los sistemas bancarios y la explosión de la burbuja inmobiliaria explican la **crisis** padecida por la mayoría de los países europeos.

EUROPA

SEPTENTRIONAL

Dinamarca
Estonia
Finlandia
Irlanda
Islandia
Letonia
Lituania
Noruega
Reino Unido
Suecia

Aland (FI)
Feroe (DK)
Kaliningrado (RU)

Géiser Strokkur (Islandia)

30°   20°   10°   0°

Jan Mayen
(NORUEGA)

Estrecho de Dinamarca

Cabo Horn
Isafjordur
Cabo Bjargtangar
Breidhi Fi
Bahía de Huna
Saudárkrókur
Borgarnes
Akureyri
Cabo Fontur
ISLANDIA
Cabo Kollumuli
Keflavik
Akranes
Reykjavik
Cabo Brimnes
Kopavogur   △ Tyorsa
Cabo Reykjanes   1763
Hafnarfjordhur   △ Bardarbunga
Río Thjorsa   2009
Cabo Gerpir
Vatnajokull
Höfn
Hvannadalshnukur
Cabo Dyrholaey   2119

Círculo Polar Ártico

Mar de
Noruega

Islas Feroe
(DINAMARCA)

OCÉANO
ATLÁNTICO

Tórshavn

Isla Smol
Kristiansun
Molde
Alesund

NORU

Bergen

Me
Har

Islas Shetland
(REINO UNIDO)

Stavanger
Tuedes

Lerwick
Cabo Sumburgh

Kristiansan
Cabo Lindesnes

Lewis   Cabo Wrath
Islas Orcadas
Islas Hébridas   Stornoway   Cabo Duncansby
Uist del Norte   Ben Dearg   Wick
1084
Skye   Inverness
Uist del Sur   Tierras Altas   Cabo Kinnairds
Mar de   Ben Macdhui   Aberdeen
las Hébridas   1309
Ben Nevis △   Montes Grampianos
Mull 1344   Perth   Dundee
Islay   Glasgow   Dunfermline
Cabo Malin   Arran   Motherwell   Edimburgo
Londonderry   Tierras Bajas
Irlanda   Carlisle   Newcastle
del Norte   Gateshead   Sunderland
(REINO UNIDO)   Douglas   Darlington   Middlesbrough
Belfast
Sligo   Isla Man   Cabo Flamborough
Cabo Slyne   Dundalk   Blackpool
Galway   Preston   Bradford   York   Kingston
Mar de   Manchester
Irlanda   Liverpool   Leeds
Dublín   Anglesey   Chester   Sheffield
IRLANDA   Snowdon   Stoke   Derby
Cabo Loop   1085   Nottingham
Limerick   King's Lynn
Montes   Waterford   Birmingham   Norwich
Kerry   Cork   Cabo   Northampton   **REINO**
Carnsore   **UNIDO**   Cambridge
Cabo Mizen   Canal de San Jorge   Gloucester   Ipswich
Cabo de   Oxford   Colchester
Saint David   Swansea   Cardiff   **Londres**   Southend
Cardiff   Rending   Canterbury
Bristol   Windsor   Dover
Península de Cornuales   Salisbury   Southampton
Exeter   Bournemouth   Portmouth   Paso de Calais
Is. Scilly   Torbay   Poole   Brighton
Cabo Land's End   Plymouth   Wight
Cabo Start
Canal de la Mancha   0°

Mar del
Norte

Holste

Esbjer

Fl

Heligoland
Islas Frisias
Leeuwarden   Groningen
Den Helder   *Lago*
Ijssel   Emmen
Amsterdam   **PAÍSES**
Haarlem   **BAJOS**   Osnab
Leiden   Hilversum
La Haya   Utrecht
Rotterdam   Breda   Duisburgo Essen
Amberes   Eindhoven   Do
Brujas   Maastricht   Bo
Calais   **Bruselas**   Colonia
Boulogne   Lille   **BÉLGICA**
Douai   Mons   Namur   Coblenza

Bren
A

Me
Pad

metros
+3000
2000
1000
500
200
0
1000
2000
3000
4000

0   100   200   300   400 km

Escala 1:10 500 000 - 1cm = 105 km
Proyección cónica

F   G   H   I   J   K

20°   30°   40°   50°   60°

Cabo Norte
Soroy
Vadso
Bahía de Matovsk
Cabo Kanin
Península de Kanin
Mar de Barents
Río Pechora
Pechora
Cordillera del Timan

Kvaløy
Tromsö
Senja
Río Tenojoki
Murmansk
Monchegorsk
Apatity
Península de Kola
Bahía de Mezen
Mezen
Uchta
Islas Lofoten
Narvik
Lago Inari
Bahía de Mezen
Mar Blanco

Archipiélago Vesterälen
Kebneikaise 2114
Kiruna
Río Torne
Kelloselka
Arcángel
Karpogory
Siktivkar
Fiordo de Vest
Lago Gran Sjafallet
Río Lulea
Rovaniemi
Severodvinsk
Península del Onega
Solovecki
Golfo de Onega
Río Onega
Río Dvina Septentrional
60°

Fiordo de Salt
Sulitjelma 1908
Bodö
Lago Udd
Río Ume
Lulea
Haiuoto
Oulu
Río Oulujoki
Kontiomaki
Segezha
Río Vycogda
Kotlas

Borgefjell 1703
Namsos
Lago Kall
Steinkjer
FINLANDIA
Lieksa
Kondopoga
Petrozavodsk
Lago Onega
Konosa
Kirov
Río Suhona

Vega
SUECIA
Östersund
Skelleftea
Vaasa
Kuopio
Joensuu
Lago Kallavesi
Meseta Lacustre de Finlandia
Jyvaskyla
Lago Blanco
Ioskar-Ola

Rio Ljungan
Sundsvall
Umea
Golfo de Botnia
Mikkeli
Lago Nasi
Lago Saimaa
Lappeenranta
Lago Ladoga
Vologda
Cherepovets
Río Verbuga
Kazán

Gävle
Pori
Tampere
Hameenlinna
Lahti
Viborg
Tijvin
San Petersburgo
Embalse de Rybinsk
Kostromá
Embalse de Gorky
Ceboksary

Uppsala
Turku
Kotka
Kolpino
Gatchina
Río Volkov
Borovichi
Rybinsk
Yaroslavl
Ivanoro
Nizhny Nóvgorod

Västerås
Espoo
Helsinki
Golfo de Finlandia
Vantaa
Narya
Nóvgorod
Vladimir
Río Oka
Llanura de Europa Oriental

Karlstad
Orebro
Eskilstuna
Aland
Mariehamm
Tallinn
Kose
Kohtla-Järve
ESTONIA
Lago Peipus
Lago Ilmen
Colinas de Valdaï
Moscú

Estocolmo
Hiiumaa
Kardla
Tartu
Pärnu
Varska
Pskov
Ostrov
Tver
Koloma
Riazán
Penza

Linköping
Norrköping
Lago Vänern
Kingisepp
Saaremaa
Cabo Zerel
Valmiera
Gulbene
Velikiye-Luki
Vyazma
Alturas de Rusia Central
Michurinsk
Tambov

Mar Báltico
Golfo de Riga
Riga
LETONIA
Safonovo
Smolensko
Kaluga
Tula

Gotemburgo
Visby
Gotland
Ventspils
Jurmala
Río Dvina Occidental
Rezekne
Daugavpils
Vitebsk
FEDERACIÓN RUSA
Lipetsk

Jönköping
Meseta de Suecia Meridional
Böda
Jelgava
Navapolatsk
Polock
Orsha
Roslavl
Brianks
Vorónezh

Vaxjo
Öland
Liepaja
Siauliai
Panevezys
Alturas de Bielorrusia
Mogilev
Klincy
Kuesk
Staryj Oskol

Halmstad
Kalmar
Klaipéda
LITUANIA
Río Niemen
Kaunas
Maladzhechna
Borisov
Minsk
Bobrujsk
Gomel
Río Hoper

Península de Skane
Lund
Vilnius
Marjampole
Alytus
BIELORRUSIA
Saligorsk
Nizhyn
Jarkov

Copenhague
Malmö
Ronne
Bornholm (DINAMARCA)
Kaliningrado
FEDERACIÓN RUSA
Golfo de Danzig
Gdynia
Grodno
Baranovici
Río Pripyat
Pinsk
Brest
Mozyr
Chernigov
Gomel
Embalse de Kiev
Brovary

Rostock
Cabo Arkona
Rugen
Golfo de Pomerania
Gdansk
Elbag
Olsztyn
Bialystok
Río Narew
Kovel
Korosten
Kiev
Poltava

Lübeck
Szczecin
Koszalin
Río Vistula
Grudziadz
Río Narew
Luck
Rovno
Zitomir
Bila Tserkva
Cherkassy
Gorlovska

Schwerin
Llanura del Mar Báltico
Bydgoszcz
Torun
Plock
Brest
Lublin
Río Oder
Berdychiv
Bila Tserkva
Dniepropetrovsk
Donetsk

Berlín
Postdam
Poznan
Gorzow
Zielona Gora
Wloclawek
Kalisz
Varsovia
POLONIA
Radom
Luck
Rovno
Krivpi Rog
Zaporoze
Río Don

Magdeburgo
Halle
Leipzig
Cottbus
Dresde
Legnica
Wroclaw
Opole
Lödz
Kielce
Czestochowa
Río Vistula
Imelnitski
Vinitsa
Rostov-na-Donu
40°

Gera
Chemniz
Zwickau
Liberec
Walbrzych
Sudetes
Bitom
Sosnowiec
Katowice
Gliwice
Zabrze
Cracovia
Tarnow
Rzeszów
Lvov
Ternopol
Alturas de Volinia-Podolsk
UCRANIA
Mariupol
Zhdanov

30°

EUROPA

CENTRAL y MERIDIONAL

Albania
Alemania
Andorra
Austria
Bélgica
Bosnia
  y Herzegovina
Chipre
Croacia
Eslovaquia
Eslovenia
España
Francia
Grecia
Hungría
Italia
Liechtenstein
Luxemburgo
Malta
Mónaco
Montenegro
Países Bajos
Polonia
Portugal
Rep. Checa
San Marino
Serbia
Suiza
Vaticano

Gibraltar (UK)

Albania	Andorra	Austria	Belgium	Bosnia-Herzegovina	Croatia	Cyprus	Czech Republic	France	Germany	Greece	Hungary	Italy	Liechtenstein
Albania	Andorra	Austria	Bélgica	Bosnia y Herzegovina	Croacia	Chipre	Rep. Checa	Francia	Alemania	Grecia	Hungría	Italia	Liechtenstein

D   E   F   G

20°   30°   40°   50°

Gotemburgo
Jönköping
Boras
Meseta de
Suecia Meridional
Halmstad
Visby
Gotland
Ventspils
LETONIA
Riga
Jurmala
Rezekne
Velikiye-Luki
Vyazma
Koloma
Riazán
Penza

FEDERACIÓN RUSA

Alturas del Volga

Alturas de Rusia Central

Böda
Öland
Vaxjo
Kalmar
Jelgava
Siauliai
Panevezys
Daugavpils
Navapolatsk
Polock
Vitebsk
Smolensko
Orsha
Safonovo
Michurinsk
Tambov

Liepaja
LITUANIA
Klaipéda
Río Niemen
Kaunas
Vilnius
Maladzechna
Minsk
Mogilev
Roslavl
Briansk
Lipetsk

Península de Skane
Lund
Malmö
Bornholm
(DINAMARCA)
Cabo Arkona
Rugen
Golfo de
Pomerania
Rostock
Schwerin
Szczecin

Kaliningrado
FEDERACIÓN RUSA
Gdynia
Golfo de Danzig
Gdansk
Elbag
Olsztyn
Marijampole
Alytus
Grodno
Baranovici
Sáligorsk
Bobrujsk
Gomel
Klincy
Kuesk
Staryj Oskol
Río Don

Berlín
Postdam
Magdeburgo
Halle
Leipzig
Dresde
Koszalin
Bydgoszcz
Torun
Río Vístula
Grudziadz
POLONIA
Río Narew
Bialystok
Brest
Pinsk
Río Pripyat
Mozyr
Chernigov
Nizhyn
Járkov
Río Don

BIELORRUSIA
Alturas de Bielorrusia
Borisov

Gera
Chemniz
Zwickau
Wroclaw
Legnica
Walbrzych
Opole
Czestochowa
Kalisz
Lódz
Radom
Lublin
Luck
Rovno
Berdychiv
Zitomir
Korosten
Embalse de Kiev
Brovary
Kiev
Poltava
Gorlovska
Donetsk

Plzen
REPÚBLICA CHECA
Praga
Hradec Kralové
Bitom
Sosnowiec
Katowice
Tarnów
Rzeszów
Lvov
Ternopol
Imelnitski
Vinitsa
Krivpi Rog
Zaporoze
Rostov-na-Donu

UCRANIA
Alturas de Volinia-Podolsk

Montes Metálicos
Liberec
Olomouc
Ostrava
Ruda Slaska
Bielsko Biala
Drohobych
Ivago-Frankovsk
Kamyanets-Podilsky
Bríceni
Bel cy
Rybnica
Nikolajev
Krasnodar

Brno
Beskides
Gerlachocsky 2659
Zilina
Presov
Kosice
Uzhgorod
Chernovtsi
Cárpatos
Suceava
Iasi
Chisinau
Tighina Tiraspol
Odesa
Cherson
Crimea

ESLOVAQUIA
Nitra
Bratislava
Nyiregyhaza
Satu Mare
Baia Mare
Río Moldova
MOLDAVIA
Bacau
Simféropol
Yalta
Sebástopol

Viena
Sankt Pölten
Linz
Győr
HUNGRÍA
Miskolc
Debrecen
Meseta de Transilvania
Bistrita
Piatra Neamt
Cahul
Kefch
Novorossijsk

AUSTRIA
Leoben
Graz
Veszprem
Kecskemét
Szblnok
Oradea
Cluj-Napoca
Tirgu Mures
Galati
Mar de Azov

Munich
Salzburgo
Eisenstadt
Sopron
Székesfehévár
Budapest
Alba Iulia
Sibiu
Brasov
Braila

innsbruck
Klagenfurt
Nagikanizsa
Szeged
Arad
Hunedoara
RUMANÍA
Vilcea
Ploiesti
Constanza

Grossglockner 3798
Maribor
Celje
Subótica
Timisoara
Resita
Alpes de Transilvania
Tirgu Jiu
Pitesti
Bucarest

Marmolada 3342
Trento
Ljubliana
Zagreb
Novi Sad
Zrenjanin
Turno Severin
Craiova
Llanura del Danubio inferior
Ruse
Tolbuhin
Dobric

ESLOVENIA
CROACIA
Río Sava
Belgrado
Pancevo
Smederevo
Río Danubio
Pleven
Shumen
Varna

Venecia
Trieste
Rijeka
Karlovac
Prijedor
Doboj
Tuzla
Savac
SERBIA
Carak
Brusevac
Botev 2376
Sliven
Stara Zagora
Burgas

BOSNIA Y HERZEGOVINA
Bihac
Zenica
Sarajevo
Kragujevac
Nis
Leskovac
Sofía
Pernik

Mar Adriático
Split
Novi Pazar
Durmitor 2522
Pristina
BULGARIA
Plovdiv
Khaskovo
Edirne
Estambul

Alpes Dináricos
Mostar
Vis
Korcula
Dubrovnik
MONTENEGRO
Nisic
Jezerca 2694
Kosovo
Prizren
Kumanovo
Skopje
Musalá 2925
Río Struma
Montes Ródope
Alexandrópolis
TURQUÍA

ITALIA
San Marino
Monte Pennina 1570
Gran Sasso 1912
Pescara
Monte Gargano 1056
Shkodra
Tétovo
MACEDONIA
Prilep
Bitola
Kávala
Mar de Mármara

Roma
VATICANO
Foggia
Bari
Golfo de Manfredonia
Tirana
Dürres
Elbasan
Tesalónica
Thesos
Monte Athos
Samotracia
Gökçeada

Latina
Nápoles
Río Bradano
Tarento
Lecce
ALBANIA
Vlöre
Olimpo 2911
Larisa
Monte Athos 2033
Kariés
Lemnos
Cabo Baba

Islas Pontinas
Ischia
Capri
Salerno
Potenza
Golfo de Tarento
Península Salentina
Cabo Santa Maria di Leuca
Corfú
Jóanina
GRECIA
Islas Espóradas Septentrionales
Mar Egeo
Skopelos
Skyros
Lesbos

Mar Tirreno
Cosenza
Pollino 2248
Catanzaro
Cabo Colonne
Levkás
Parnasas 2457
El Pireo
Atenas
Andros
Islas Espóradas Meridionales
Ikaría
Samos
Quíos

Península de Calabria
Punta del Faro
Reggio di Calabria
Cefalonia
Itaca
Patras
Killni 2376
Serifos
Mikonos
Islas Cicladas
Kos
Télos
Ródas
Kyrenia
Famagusta

Palermo
Messina
Etna 3323
Estrecho de Messina
Islas Jónicas
Zante
Península del Peloponeso
Kalamata
Mar de Mirtoon
Milos
Santorini
Anafi
Karpathos
CHIPRE
Nicosia
Limassol
Paphos

Marsala
Rocca Busambra 1613
Sicilia (ITALIA)
Catania
Siracusa
Cabo Passero
Mar Jónico
Cabo Akritas
Cabo Matapán
Kythera
Candía
Creta

Cabo Bon
Isla Pantelaria (ITALIA)
Gozo
MALTA
La Valetta

20°   30°

Mar Negro

TURQUÍA

metros
+3000
2000
1000
500
200
0
1000
2000
3000
-4000

0   100   200   300   400 km

Escala 1:10 500 000 - 1cm = 105 km
Proyección cónica

---

 emburgo / Luxemburgo
 Malta / Malta
 Monaco / Mónaco
 Montenegro / Montenegro
 Netherlands / Países Bajos
 Poland / Polonia
 Portugal / Portugal
 San Marino / San Marino
 Serbia / Serbia
 Slovakia / Eslovaquia
 Slovenia / Eslovenia
 Spain / España
 Switzerland / Suiza
 Vatican City State / Ciudad del Vaticano

EUROPA

ORIENTAL y CAUCÁSICA

Foto satélite de la Europa Oriental. El río Volga, que desemboca en el mar Caspio **(1)**, es el más largo de Europa (3570 km). Los montes Cárpatos **(2)** y los Alpes de Transilvania **(3)** describen una curva a través de Rumanía **(4)**.

1

La **catedral de San Basilio** se ubica en la Plaza Roja de Moscú. Fue mandada construir por Iván el Terrible a mediados del siglo XVI. En ella está enterrado san Basilio el Bendito, de ahí su nombre.

2

La **cordillera del Cáucaso**. Situada al este de Europa y en Asia Occidental, entre el mar Negro y el mar Caspio, alberga el monte Elbrus que es considerado la montaña más alta de Europa con 5633 metros.

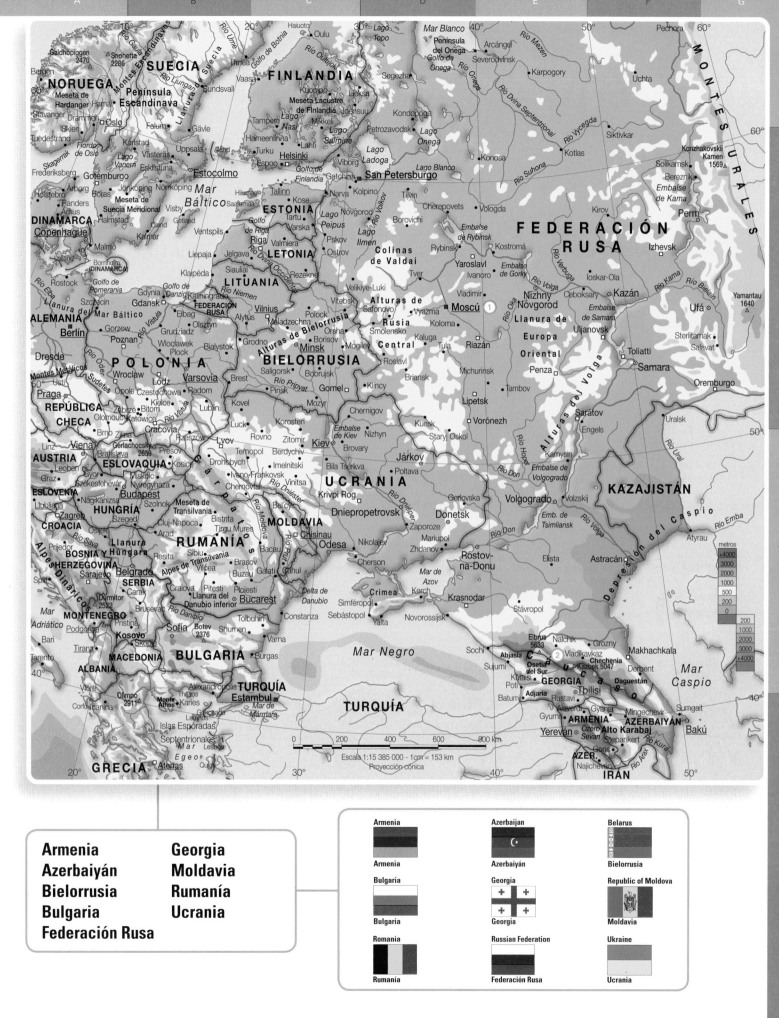

Armenia · Georgia
Azerbaiyán · Moldavia
Bielorrusia · Rumanía
Bulgaria · Ucrania
Federación Rusa

Armenia / Armenia
Azerbaijan / Azerbaiyán
Belarus / Bielorrusia
Bulgaria / Bulgaria
Georgia / Georgia
Republic of Moldova / Moldavia
Romania / Rumanía
Russian Federation / Federación Rusa
Ukraine / Ucrania

OCEANÍA
FÍSICA y POLÍTICA

El Pacífico es el mayor de los océanos, con una extensión que supone la tercera parte de la superficie total del planeta.

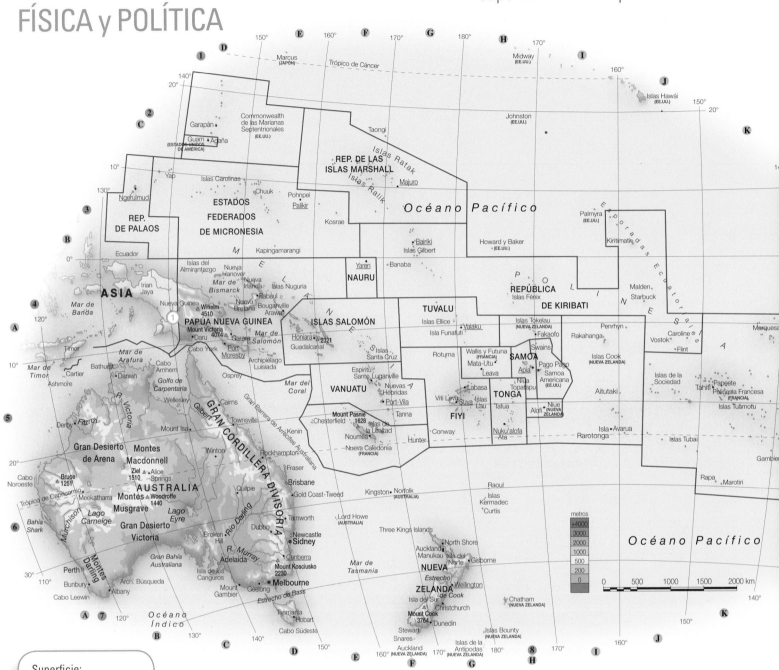

¿Sabías que el mayor arrecife de coral del mundo se encuentra a lo largo de la costa de Queensland, Australia? Descubierta en el siglo XVIII, por el capitán inglés James Cook, se extiende por más de 2000 km.

¿Sabías que Oceanía es el continente más pequeño del mundo? Sin embargo, Australia es el sexto país más grande del mundo tras Rusia, Canadá, Estados Unidos, China y Brasil.

Superficie:
9 008 458 km²
Habitantes:
32 000 000
Punto más elevado:
Wilhelm 4510 m
Río más largo:
Murray-Darling 3490 km
País más grande:
Australia
País más pequeño:
Nauru

Oceanía se caracteriza por ser un continente donde conviven muchísimas culturas. Desde hace siglos, estuvo poblado por una gran cantidad de tribus de nativos, aproximadamente unas cinco mil, con culturas, dialectos y religiones autóctonas diferentes.
La **tribu dani**, también conocida como *Ndani*, asentada en el valle de Baliem (Papúa Nueva Guinea), suma aproximadamente unos 30 clanes distribuidos por las montañas. Se caracteriza por tener el cabello rizado y piel morena. Es una de las tribus más conocida, debido a los numerosos grupos de turistas que anualmente la visitan para disfrutar de sus costumbres.

Australia, Nueva Guinea, Nueva Zelanda y miles de islas más del océano Pacífico son lugares que forman **Oceanía**, el continente más pequeño del mundo. Las diferentes islas del continente, con excepción de Australia, pueden agruparse por su origen en islas volcánicas e islas coralinas.

Australia está formada por una gran meseta; limita al este por una cadena montañosa, cortada en el centro por una cuenca de tierras bajas. La Gran Cordillera Divisoria, al este, se extiende por la costa del Pacífico de norte a sur. La mayor altura del continente es el monte Wilhelm (4509 m), en Papúa Nueva Guinea. Las **islas volcánicas**, esencialmente en Melanesia y Hawái, presentan un relieve montañoso con volcanes apagados o activos y fértiles suelos. Los volcanes que han quedado sumergidos pueden estar cubiertos por un anillo de coral o atolón. Por el contrario, las **islas coralinas** tienen un relieve bajo o suavemente ondulado y suelos poco fértiles. La **Gran Barrera de Arrecifes** es un ejemplo de islas coralinas. La insularidad de Australia y las demás islas de Oceanía ha favorecido la aparición y el desarrollo de formas de vida peculiares, tanto vegetales como animales (canguro, koala...).

Oceanía no fue conocida en su totalidad hasta el siglo XVIII, momento en que tuvieron lugar los viajes del capitán **James Cook**. La colonización se desarrolló a lo largo del siglo XIX, y en el reparto **colonial** jugaron un papel importante países como Gran Bretaña, Francia, Alemania y Estados Unidos. Tras la I Guerra Mundial, las colonias de Alemania pasan a Australia y a Nueva Zelanda. Japón entra a formar parte de los países que tienen posesiones en Oceanía. En Australia, los pueblos **aborígenes** exigen el derecho a las tierras que les fueron arrebatadas por los colonos europeos en el siglo XIX. Los **maoríes,** en Nueva Zelanda, piden los mismos derechos.

Dada la amplitud de espacio por el que se distribuyen estas islas, Oceanía se ha dividido en cuatro partes de acuerdo a la proximidad que hay entre ellas: **Australia, Nueva Zelanda** y **Tasmania**; **Melanesia**; **Micronesia**; y **Polinesia**.

OCEANÍA
CULTURAL

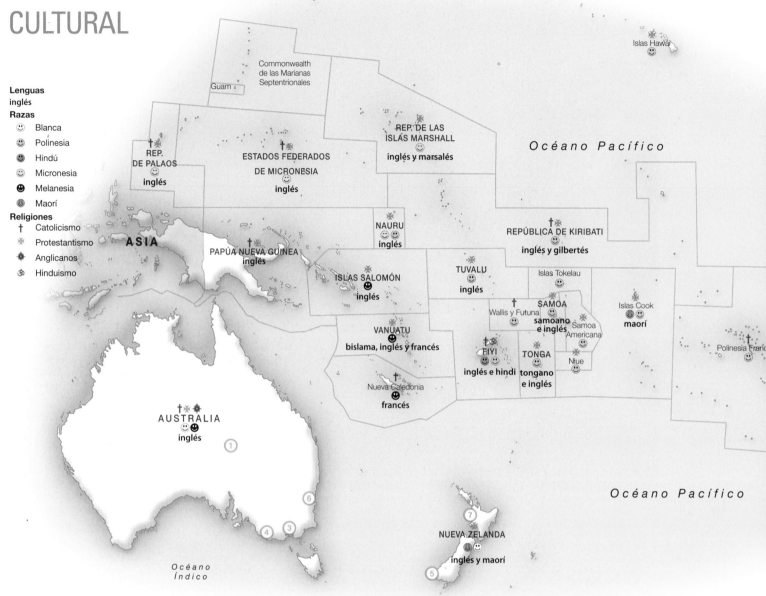

Lenguas
inglés

Razas
- ☺ Blanca
- ☺ Polinesia
- ☻ Hindú
- ☺ Micronesia
- ☻ Melanesia
- ☻ Maorí

Religiones
- † Catolicismo
- ✳ Protestantismo
- ⚜ Anglicanos
- ☸ Hinduismo

ASIA

Océano Pacífico

Islas Hawái

Commonwealth de las Marianas Septentrionales
Guam

REP. DE LAS ISLAS MARSHALL
inglés y marsalés

REP. DE PALAOS
inglés

ESTADOS FEDERADOS DE MICRONESIA
inglés

NAURU
inglés

PAPÚA NUEVA GUINEA
inglés

REPÚBLICA DE KIRIBATI
inglés y gilbertés

ISLAS SALOMÓN
inglés

TUVALU
inglés

Islas Tokelau

SAMOA
samoano e inglés

Islas Cook
maorí

Wallis y Futuna

Samoa Americana

VANUATU
bislama, inglés y francés

FIYI
inglés e hindi

TONGA
tongano e inglés

Niue

Polinesia Francesa

Nueva Caledonia
francés

AUSTRALIA
inglés

①

⑥

④ ③

NUEVA ZELANDA
inglés y maorí

⑦

⑤

Océano Índico

Océano Pacífico

①

Aborigen tocando el *didgeridoo* o *yidaki*. La palabra *aborigen* significa «persona nacida en el país en que vive, frente a los que provienen de otros lugares». Este término se utiliza para referirse a los primeros pobladores de Australia. Los aborígenes fueron perseguidos por el hombre blanco que colonizó Australia. Hoy, muchas comunidades aborígenes luchan por sus derechos y por conservar sus tierras.

✳ Ayers Rock o Uluru puede verse a una distancia de 100 km. Cambia de color según cómo incidan los rayos del sol a lo largo del día. Desde 1987 es patrimonio mundial de la humanidad.

En la zona del Pacífico se producen frecuentes terremotos y los volcanes tienen bastante actividad, por eso se la conoce con el nombre de *círculo de fuego*.

Pitcairn

2

James Cook fue un navegante y explorador británico que, en sus expediciones por el Pacífico, descubrió Australia, Nueva Zelanda y numerosas islas de dicho océano. Las Islas Cook reciben este nombre en su honor, ya que en 1773 fue el primero en pisarlas.

3

Catedral Sant Patrick, Melbourne. Gran parte de la comunidad católica de Melbourne es de origen irlandés, por lo que se decidió llamarla como el patrono de Irlanda, san Patricio. Este templo es conocido como uno de los principales ejemplos de arquitectura neogótica.

4

Parque Nacional de Port Campbell. El océano ha erosionado los acantilados y ha formado las famosas agujas marinas de la zona. Entre estas agujas destacan las conocidas como *los doce apóstoles*. Uno de los colosos de roca se desplomó en 2005, reduciendo el número de nueve a ocho.

5

Los **maoríes** son pobladores nativos de Nueva Zelanda, que lucharon contra los primeros blancos que llegaron a la isla. El tatuaje facial era una gran orgullo para el guerrero: lo hacía feroz en la batalla y atractivo para las mujeres.

6

Ópera de Sídney, del arquitecto danés Jørn Utzon. Esta construcción expresionista está formada por una serie de conchas y abrió el camino para la construcción de edificios de formas geométricas complejas dentro de la arquitectura moderna.

7

Escultura maorí en madera de pino *kauri*. En Nueva Zelanda, el arte maorí se plasma en la construcción de objetos de madera y el tatuaje. Las tallas en madera se caracterizan por sus curvas, volutas y espirales.

Oceanía es un continente de grandes **diferencias** y **contrastes**. Los pueblos aborígenes fueron los primeros que vivieron en Australia, y los encontramos tanto aquí como en las islas del Pacífico; también, indígenas **maoríes** conviven en Nueva Zelanda junto con ingleses, franceses, irlandeses, chinos, indios, vietnamitas y filipinos. Algo que distingue a las culturas del Pacífico son sus tatuajes: cuanto más poderosa es la persona, más importante es el modelo de diseño.

Las primeras migraciones que hicieron posible la vida en las islas del Pacífico llegaron por mar gracias al intercambio económico y cultural, propiciando así los encuentros entre diferentes culturas de Oceanía, Europa y África.

Las tribus **korowai** y **kombai**, que habitan en el sureste de Papúa, son de las últimas del mundo que continúan practicando el canibalismo. Apenas es un grupo de unas 3000 personas, que hasta la década de los años setenta del siglo XX era prácticamente desconocido.

En **Vanuatu**, las mujeres realizan una danza tradicional que acompañan con golpes sobre el agua para producir música. Esta manera de hacer música, que en un principio era un juego de las mujeres de Gaua mientras se bañaban o se lavaban en el mar, se ha convertido en una actividad cultural propia.

OCEANÍA
ECONÓMICA

Islas Hawái

Commonwealth
de las Marianas
Septentrionales

Guam

REP. DE LAS
ISLAS MARSHALL

Océano Pacífico

ESTADOS FEDERADOS
DE MICRONESIA

REP.
DE PALAOS

ASIA

NAURU

REPÚBLICA DE KIRIBATI

PAPÚA NUEVA GUINEA

TUVALU

ISLAS SALOMÓN

Islas Tokelau

Wallis y
Futuna

SAMOA

Islas Cook

Samoa
Americana

VANUATU

*Océano
Índico*

FIYI

TONGA

Polinesia Frances

Niue

Nueva Caledonia

AUSTRALIA

Brisbane
2 000 000 hab.
Gold Coast-Tweed
600 000 hab.

Newcastle
400 000 hab.

Sidney
4 500 000 hab.

Auckland
400 000 hab.

Manukau
400 000 hab.

Océano Pacífico

Perth
1 700 000 hab.

Adelaida
1 200 000 hab.

Melbourne
4 000 000 hab.

NUEVA ZELANDA

Christchurch
400 000 hab.

① Ganadería en Australia. La ganadería constituye la verdadera riqueza australiana. Este país es el primer productor y exportador mundial de lana ovina y uno de los mayores de carne vacuna. La ganadería extensiva (aprovechamiento de las zonas de pasto) es el procedimiento más común adoptado en Australia.

Materias primas
- 🔥 Gas Natural
- 🔥 Madera
- 🌳 Minería
- ⛽ Petróleo
- ▮ Áreas agrícolas
- ▯ Áreas ganaderas

Principales producciones agrícolas
- 🌴 Aceite de palma y copra
- 🌿 Caña de azúcar
- 🐟 Pesca
- Industria agroalimentaria
- Áreas industriales

Industrias
- Astilleros
- 🚗 Automotriz
- Editorial
- ✕ Electrónica
- ⚛ Energía atómica
- Metalúrgica
- Química

Principales áreas urbanas
- ▮ 1 millón de habitantes
- $ Plaza financiera
- 🌐 Turismo

104

Campos de cultivo en Queensland. Aunque los cultivos ocupan solo un 6.5 % de la superficie total de Australia, este porcentaje supone una gran importancia económica. El cultivo de trigo (altamente mecanizado) representa el 45 % de las tierras sembradas. Otros cultivos importantes son: avena, cebada, centeno, maíz, semillas de aceite, tabaco y cereales para pienso.

✷ Australia es la tierra de los ópalos. Su producción supone el 95 % del total mundial. Debido a su variedad de formas y colores, cada uno de estos minerales de silicio es único y especial.

CBD de Melbourne, segunda ciudad más grande de Australia y la capital del estado de Victoria, Estado más pequeño del continente. Fue capital de Australia entre 1901 y 1927. El CBD (*central business district*) de Melbourne, o distrito financiero, no tiene restricciones arquitectónicas de altura, y en su área se levantan cinco de los seis edificios más altos de Australia; el mayor de todos es Eureka Tower. Según un informe realizado en el año 2002, entonces era la mejor ciudad del mundo para vivir y emigrar.

Pitcairn

✷ A principios del siglo XXI; Tuvalu, un minúsculo país polinesio del Pacífico sur, tuvo una de las rentas per cápita más altas del mundo gracias a la venta del sufijo *.tv,* que le corresponde como nombre de dominio en internet.

Con excepción de Australia, Nueva Zelanda y Hawái, que poseen una economía fuerte y gran desarrollo industrial, las demás islas de **Oceanía** tienen una economía predominantemente agrícola y ganadera. El clima es ideal para cultivos tropicales.

El principal producto de las islas es la copra, médula del coco, y también la caña de azúcar, café, vainilla y cereales, en especial el trigo. No obstante, en los últimos años han empezado a explotarse importantes **yacimientos** en Nueva Caledonia (20% de la producción mundial de níquel), Papúa Nueva Guinea (cobre y oro) y Kiribati (fosfatos). Asimismo, la industria petroquímica, la de automóviles, maquinaria agrícola y naval están bastante desarrolladas. La gran distancia entre Oceanía y los principales países consumidores encarece los transportes y dificulta las exportaciones.

La **pesca** se ha desarrollado con preferencia en las islas coralinas, donde constituye la base de la alimentación; además de pescado, se obtienen moluscos, cangrejos y tortugas. Las ostras perlíferas constituyen otra fuente de ingresos considerable en este continente.

El **turismo** se ha convertido en una importante área económica para los países de Oceanía, que cuenta con grandes hoteles y excelentes servicios turísticos.

OCEANÍA
ACTUALIDAD

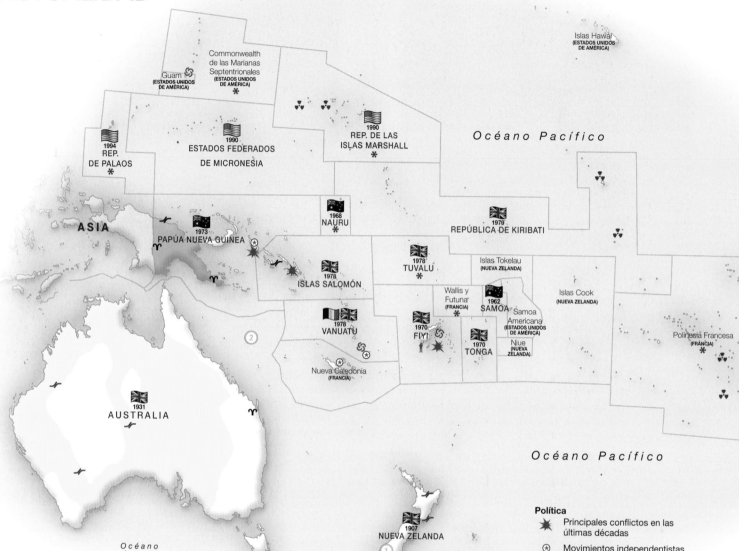

Islas Hawái
(ESTADOS UNIDOS
DE AMÉRICA)

Commonwealth
de las Marianas
Septentrionales
(ESTADOS UNIDOS
DE AMÉRICA)

Guam
(ESTADOS UNIDOS
DE AMÉRICA)

Océano Pacífico

1990
REP. DE LAS
ISLAS MARSHALL

1990
ESTADOS FEDERADOS
DE MICRONESIA

1994
REP.
DE PALAOS

ASIA

1973
PAPÚA NUEVA GUINEA

1968
NAURU

REPÚBLICA DE KIRIBATI
1979

1978
ISLAS SALOMÓN

1978
TUVALU

Islas Tokelau
(NUEVA ZELANDA)

1978
VANUATU

Wallis y
Futuna
(FRANCIA)

1962
SAMOA

Samoa
Americana
(ESTADOS UNIDOS
DE AMÉRICA)

Islas Cook
(NUEVA ZELANDA)

Polinesia Francesa
(FRANCIA)

1970
FIYI

1970
TONGA

Niue
(NUEVA
ZELANDA)

Nueva Caledonia
(FRANCIA)

1931
AUSTRALIA

*Océano
Índico*

Océano Pacífico

1907
NUEVA ZELANDA

Política

Principales conflictos en las
últimas décadas

Movimientos independentistas

Golpe de estado

Estados

1990 Año de independencia

Independizados de:

Reino Unido

Francia

Estados Unidos de América

Australia

(FRANCIA) Dependencias

Principales problemas medio ambientales

Terremoto

Maremoto

Erupción volcánica

Huracán

Pruebas nucleares

Desertificación

Desforestación

* Desaparición física de parte o la
totalidad del territorio bajo las aguas

**Jugadores de la selección
de Nueva Zelanda de
baloncesto, interpretando
el ritual *haka* antes de un
partido en el Mundial de
Baloncesto de Turquía
2010**. El *haka* es el nombre
con el que se conoce a la
danza maorí y a todas las
identificadas con esta cultura.
En este caso se trata de una
danza guerrera, realizada
para atemorizar al oponente.

Arrecifes del Pacífico o bosques tropicales de los océanos. Oceanía es un lugar ideal para los amantes del buceo, pues dispone de los fondos marinos más espectaculares del mundo. Existe una preocupación generalizada, porque tanto la masificación turística como el calentamiento global podrían estar dañando los arrecifes más frágiles. La NASA indicó que estas joyas de la naturaleza, que se caracterizan por sus explosiones de color, han comenzado a volverse blancas, y que un aumento de dos grados en la temperatura del agua provocará la desaparición de los arrecifes de coral de nuestros mares.

✱ ¿Sabías que palabras como *ciclón*, *huracán* o *tifón* son términos que se utilizan para designar el mismo fenómeno meteorológico, pero que cambian su significado dependiendo de cada región? En Australia se le llama *willy-willy*.

Con unos 32 millones de habitantes, Oceanía incluye en su territorio a 14 países y numerosas dependencias. Los europeos llegaron en el siglo XVIII y, a principios del XX, controlaban la mayoría de las islas. Desde entonces, muchas colonias han conseguido la autonomía, pero otras han optado por seguir siendo dependencias. Sus indígenas se dividen en cuatro grupos principales (aborígenes australianos, melanesios, micronesios y polinesios), que hablan multitud de lenguas.

El **foro de las islas del Pacífico** (conocido, hasta octubre de 2000, como *Foro del Pacífico Sur*) es una institución política que reúne a los Estados independientes y a los Estados autónomos del Pacífico. Su objetivo es el de proporcionar a los países miembros la oportunidad de expresar sus puntos de vista políticos y colaborar en ámbitos como el mercado, la inversión, el desarrollo económico y los asuntos políticos e internacionales.

Australia, Fiyi, Islas Salomón, Kiribati, Nauru, Nueva Zelanda, Papúa Nueva Guinea, Samoa, Tonga, Tuvalu y Vanuatu son países de Oceanía que pertenecen a la organización internacional **Commonwealth**, de la que forman parte las antiguas posesiones británicas.

Los **ciclones** en Australia son frecuentes. El peor fue el Tracy, que mató a 66 personas y destruyó la ciudad de Darwin. En 2006, Larry entró con fuerza 5 y destruyó pequeñas ciudades en el nordeste de Queensland y acabó con importantes plantaciones de plátano.

OCEANÍA

1

Sídney es la ciudad más grande y también la más antigua del continente. Localizada en el sudeste del país, es la capital de Estado de Nueva Gales del Sur. Famosa es la Ópera de Sídney del arquitecto Jørn Utzon.

2

Gran Barrera de Arrecifes. Es el mayor del mundo y se encuentra a lo largo de la costa de Queensland, Australia. Forma un rompeolas natural gigantesco (2000 km), que alberga la colonia de organismos vivos más grande de la Tierra. Fue declarada patrimonio de la humanidad en 1981.

3

Los **canguros** son mamíferos marsupiales, es decir, las hembras guardan en una bolsa de su vientre a las crías. Existen diversos tipos de canguros y todos ellos viven en Australia y en la isla de Nueva Guinea.

4

Ayers Rock o Uluru es un enorme fragmento de piedra arenisca situado en el territorio norte de Australia. Mide casi 350 metros de altura y tiene un perímetro de 9 km. Para los pueblos aborígenes australianos, es un lugar sagrado.

5

La ciudad de **Queenstown** (Nueva Zelanda) está situada a orillas del lago Wakatipu. Montañas, lagos y numerosas actividades de aventura hacen de Queenstown una de las capitales del turismo de aventura del planeta.

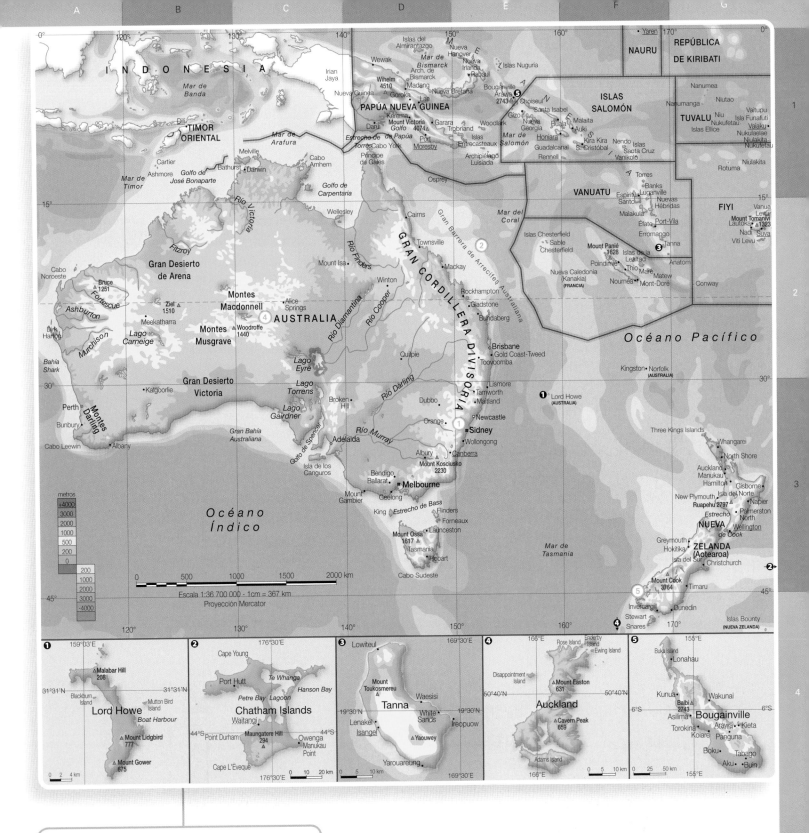

OCEANÍA

MICRONESIA

1

Micronesia, paraíso del submarinismo. El submarinismo ha permitido conocer mejor la flora y fauna marinas y, de esta forma, intentar protegerlas con más eficacia. En las aguas de estas tranquilas y paradisíacas islas se conservan algunos de los mejores restos de naves naufragadas del mundo.

2

Vista aérea de las islas de Micronesia

Hay dos tipos de formaciones: los **atolones,** que son islas llanas, sin apenas ríos, con escasez de agua y tierra cultivable; y las islas volcánicas, que son más grandes, montañosas, con suelos fértiles y que están más pobladas.

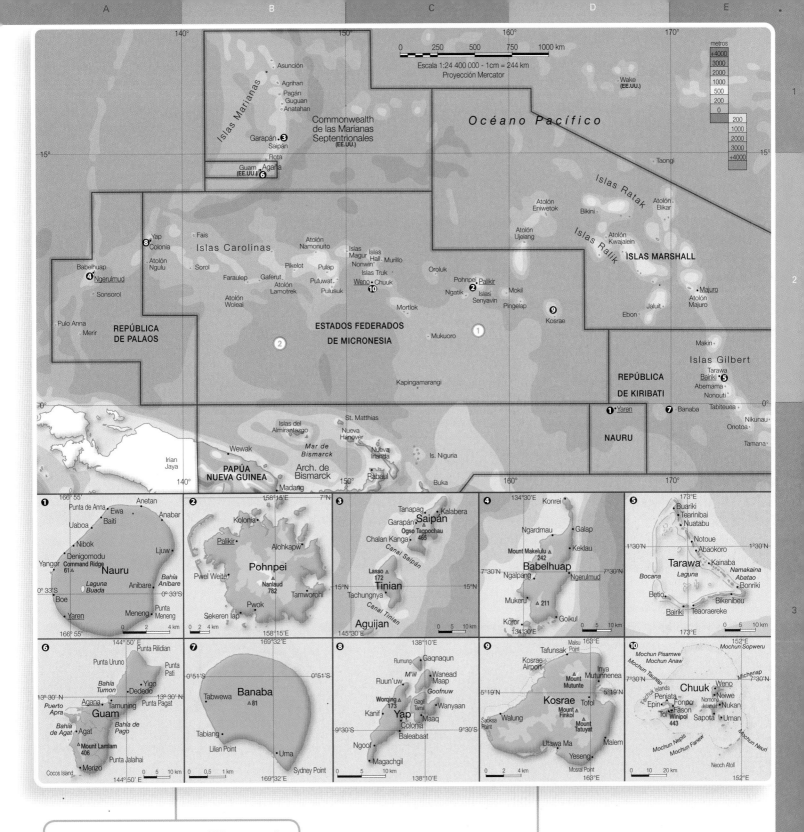

Océano Pacífico

Escala 1:24 400 000 - 1cm = 244 km
Proyección Mercator

metros
+4000
3000
2000
1000
500
200
0

Islas Marianas

Asunción
Agrihan
Pagán
Guguan
Anatahan

Commonwealth
de las Marianas
Septentrionales
(EE.UU.)

Garapán • ❸
Saipán
Rota
Guam • Agaña
(EE.UU.) ❻

Wake
(EE.UU.)

Taongi

Islas Ratak

Atolón
Eniwetok

Bikini

Atolón
Bikar

Atolón
Ujelang

Islas Ralik

Atolón
Kwajalein

ISLAS MARSHALL

Yap ❽
Colonia

Fais

Islas Carolinas

Atolón
Namonuito

Islas
Magur
Nonwin

Islas
Hall • Murillo

Majuro

Babelhuap
❹ Ngerulmud

Atolón
Ngulu

Sorol

Pikelot

Pulap

Islas Truk
Weno • Chuuk
❿

Oroluk

Pohnpei • Palikir
❷ Islas
Senyavin

Mokil

Atolón
Majuro

Jaluit

Sonsorol

Farauiep

Gaferut

Puluwat

Pulusuk

Ngatik

Pingelap

Ebon

Atolón
Lamotrek

Atolón
Woleai

Mortlok

Kosrae ❾

REPÚBLICA
DE PALAOS

Pulo Anna
Merir

ESTADOS FEDERADOS
DE MICRONESIA ❷

Mukuoro ①

Makin

Kapingamarangi

Islas Gilbert
Tarawa
Bairiki ❺
Abemama
Nonouti

REPÚBLICA
DE KIRIBATI

St. Matthias

❶ Yaren
❼ Banaba

Tabiteuea

Nikunau
Onotoa
Tamana

Islas del
Almirantazgo

Nueva
Hanover

NAURU

Irian
Jaya

Wewak

Mar de
Bismarck

Nueva
Irlanda

Is. Niguria

PAPÚA
NUEVA GUINEA

Madang

Arch. de
Bismarck

Rabaul

Buka

❶ 166° 55'
Anetan
Punta de Anna • Ewa
Uaboa • Baiti
Nibok
Denigomodu
Yangor Command Ridge
61 △
Laguna Nauru
Buada
Boe
Yaren
Meneng
166° 55'
Anabar
Anabar
Ljuw
Bahía
Anibare
Anibare
0° 33'S
Punta
Meneng
0 2 4 km

❷ 158°15'E 7°N
Kolonia
Palikir
Alohkapw
Pohnpei
Pwel Weite
Nanlaud
782
Tamworohi
Sekeren Iap
Pwok
0 4 km
158°15'E

❸
Tanapag
Saipán
Garapán
Ogso Tagpochau
465
Chalan Kanga
Lasso △
172
15°N Tinian 15°N
Tachungnya
Canal Tinian
Aguijan
0 5 10 km
145°30'E

❹ 134°30'E
Konrei
Ngardmau Galap
Mount Makelulu
242 Keklau
7°30'N Babelhuap 7°30'N
Ngalpang
Ngerulmud
Mukeru △ 211
Koror
Goikul
0 5 10 km
134°30'E

❺ 173°E
Buariki
Tearinibai
Nuatabu
Notoue
1°30'N Abaokoro 1°30'N
Tarawa Kainaba
Bocana Laguna Namakaina
Abatao
Bonriki
Betio
Bikenibeu
Bairiki Teaoraereke
0 5 10 km
173°E

❻ 144°50'E
Punta Rilidian
Punta Uruno Punta
Pati
Bahía Yigo
Tumon Dededo
13°30'N 13°30'N
Agana Tamuning Punta Pagat
Puerto
Apra Guam
Bahía Bahía de
de Agat Pago
Agat
Mount Lamlam
406
Cocos Island Merizo
Punta Jalaihai
0 5 10 km
144°50'E

❼ 169°32'E
0°51'S 0°51'S
Banaba
Tabwewa △81
Tabiang
Lilian Point
Uma
Sydney Point
0 0,5 1 km
169°32'E

❽ 138°10'E
Rumung Gaqnaqun
M'iil Wanead
Ruun'uw Maap
Goofnuw
Worqing △ Gagil
173 Tamil Wanyaan
Kanif Maaq
9°30'S Yap 9°30'S
Colonia
Baleabaat
Ngoof
Magachgil
0 5 10 km
138°10'E

❾ Malsu 163°E
Tafunsak Point
Kosrae
Airport Inya
Mount Mutunnenea
Mutunte
5°19'N 5°19'N
Kosrae Tofol
Saoksa Mount
Point Walung Finkol
Mount
Tatuyat
Utawa Ma Malem
Yeseng
Mosral Point
0 2 4 km
163°E

❿ 152°E
Mochun Pisamwe Mochun Sopweru
Mochun Anaw
Mochun Taunep Michenap
Fichuk Islands 7°30'N
Chuuk Weno
7°30'N
Peniata Neiwe
Nomoi
Epin Fonpo Islands Nukan
Tol Fason
Winipol Sapota Uman
443
Mochun Nepis
Mochun Fanew
Mochun Neuni
Neoch Atoll
0 10 20 km
152°E

Estados Federados de Micronesia
República de Kiribati
Marshall
Nauru
República de Palaos

Guam (US)
Marianas Septentrionales (US)
Wake (US)

Kiribati
Kiribati

Marshall Islands
Marshall

Micronesia,
Federal States
Estados Federados
de Micronesia

Nauru
Nauru

Palau
Rep. de Palaos

111

OCEANÍA
POLINESIA

La fauna marina en Polinesia es exuberante.
Mientras la fauna terrestre es muy pobre, la
marítima es todo un espectáculo de especies y
colores. En cuanto a la vegetación, nada tiene
que envidiar a la fauna, y nos encontramos
cocoteros, orus, filaos, bananeros, castaños; y
arbustos con flores como hibiscus, buganvilias,
gardenias… Paisajes de variado colorido y
árboles frutales provocan una vegetación densa
y profusa.

Cabaña en la playa de Savaii (Samoa)

En su origen, cada una de estas islas era un
volcán en plena actividad, y lo que queda
ahora ya que el volcán original desapareció
bajo las aguas, es una corona de coral
de caliza, lo que actualmente conocemos
como *atolones*. Prácticamente todas estas
islas están rodeadas de arrecifes de coral
que bordean magníficos lagos de color azul
turquesa con playas de arena blanca.

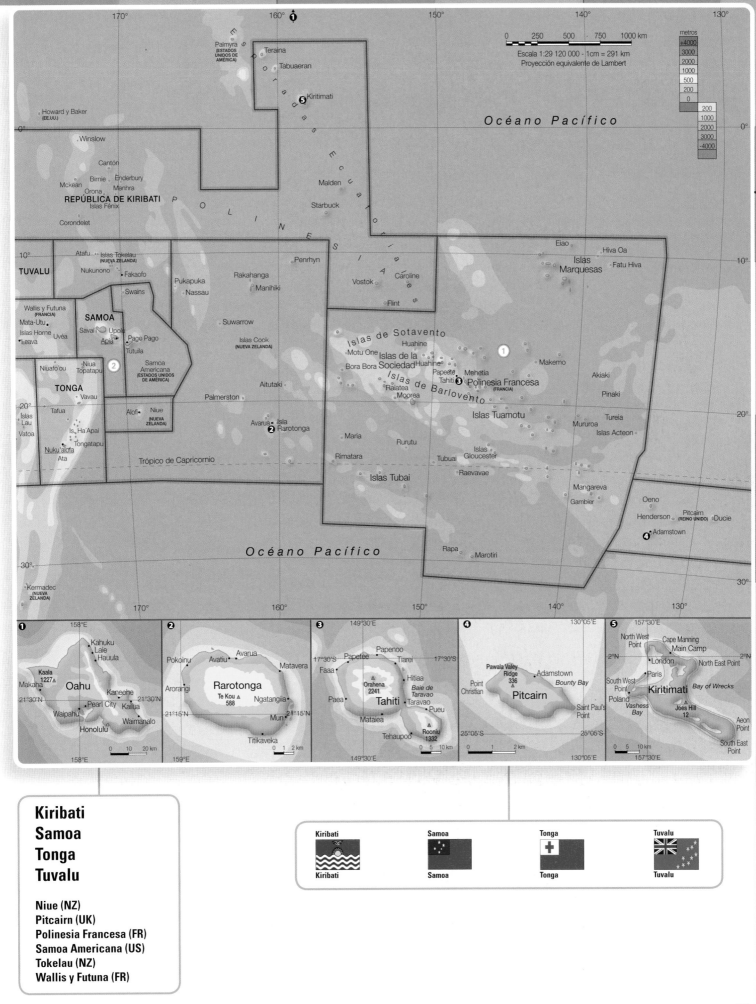

Kiribati
Samoa
Tonga
Tuvalu

Niue (NZ)
Pitcairn (UK)
Polinesia Francesa (FR)
Samoa Americana (US)
Tokelau (NZ)
Wallis y Futuna (FR)

Kiribati — Kiribati
Samoa — Samoa
Tonga — Tonga
Tuvalu — Tuvalu

ANTÁRTIDA

Superficie:
13 176 727 km²
Habitantes:
4000 (temporales)
Densidad de población:
-0.1 hab./ km²
Punto más elevado:
Monte Vinson, 5140 m
Lugar más frío:
Estación Vostok (Rusia)
-89 °C
Mayor glacial:
Lambert, 400 x 64 km
Barrera de hielo más larga:
Tierra Ross, 600 000 km²

• Base científica

✳ ¿Sabías que la Antártida se ha convertido en uno de los destinos turísticos más exóticos del planeta?

Mapa

NORUEGA

Círculo Polar Antártico

REINO UNIDO ARGENTINA
CHILE

Océano Atlántico

Orcades del Sur
Coronación

I. Elefante
60°I. Rey Jorge
GABRIEL DE CASTILLA (ESPAÑA)
JUAN CARLOS I (ESPAÑA)
ESPERANZA (ARGENTINA)
O'HIGGINS (CHILE)
VERNADSKY (UCRANIA)
Is. Biscoe
STONINGTON (REINO UNIDO)
ADELAIDA (REINO UNIDO)
SAN MARTIN (ARGENTINA)
M. Coman 3657
Tierra de Palmer
RIGHTS (EE. UU.)
Meseta Ellsworth
M. Vinson 5140

Mar de Weddell

SANAE (REP. SUDAFRICANA)
MAUDHEID (ALEMANIA)
MAITRI (INDIA)
LAZAREV (FED. RUSA)
NOVOLAZAREVSKAYA (FED. RUSA)
REY BALDUINO (FED. RUSA)
SYOWA (JAPÓN)
Costa de la Princesa Marta
Costa de la Princesa Ragnhild
M. Vorterkaka 3630
M. Victor 2588
Tierra de la Reina Maud
Tierra de Enderby
Montes Napier

HALLEY BAY (REINO UNIDO)
Tierra de Coats
BELGRANO (ARGENTINA)
ELLSWORTH (EE. UU.)
Berkner
Plataforma Larsen
Plataforma Antártica
Plataforma Ronne
Montes Pensacola
Tierra de Edith Ronne
M. Hawkes 3660
Montes Transantárticos

Tierra de Mac Robertson
M. Menzies 3355
MAWSON (AUSTRALIA)
Bahía de Amery
ZHONGSHAN (CHINA)
DAVIS (AUSTRALIA)
Tierra de la Princesa Isabel

Meseta Polar
Polo Sur ▲2835
AMUNDSEN-SCOTT (EE. UU.)
SOVETSKAYA (FED. RUSA)
VOSTOK I (FED. RUSA)
PIONERSKAYA (FED. RUSA)
MIRNY (FED. RUSA)

Mar de Davis
AUSTRALIA

Océano Índico

Mar de Bellingshausen
Pedro I.
Is. Fletcher
I. Thurston

CAMP MINESOTA (EE. UU.)
Meseta Hollick - Kenyon
BYRD (EE. UU.)
Tierra de Marie Byrd
M. Sidley 4181
Montes Edsel Ford
M. Nansen 4068
M. Kirkpatrick 4530

KOMSOMOLSKAYA (FED. RUSA)
Polo Sur Geomagnético
VOSTOK (FED. RUSA)
Tierra de la Reina Mary

Tierra de Wilkes
Costa Sabrina
WILKES (EE. UU.)

Océano Pacífico

Mar de Amundsen

Plataforma Ross
Roosevelt
SCOTT (NUEVA ZELANDA)

Mar de Ross
TERRA NOVA (ITALIA)
M. Sabine 3719

Tierra Victoria
Tierra de Adelaida
CHARCOT (FRANCIA)
Costa del Rey Jorge V
DUMONT D'URVILLE (FRANCIA)

Mar d'Urville
Costa de Adelaida

Océano Glacial Antártico
Círculo Polar Antártico
Ballenas
AUSTRALIA FRANCIA

NUEVA ZELANDA

0 500 1000 1500 2000 km
Escala 1:32 900 000 - 1cm = 329 km
Proyección acimutal equidistante

El océano Glacial Ártico se sitúa entre el círculo polar ártico y el Polo Norte, y permanece helado gran parte del año debido a las bajas temperaturas que se registran. Algunas partes nunca se deshielan y otras, cuando llega la primavera, se resquebrajan y forman enormes campos de hielo. Aquí viven renos, zorros árticos, morsas, osos polares...

ÁRTICO

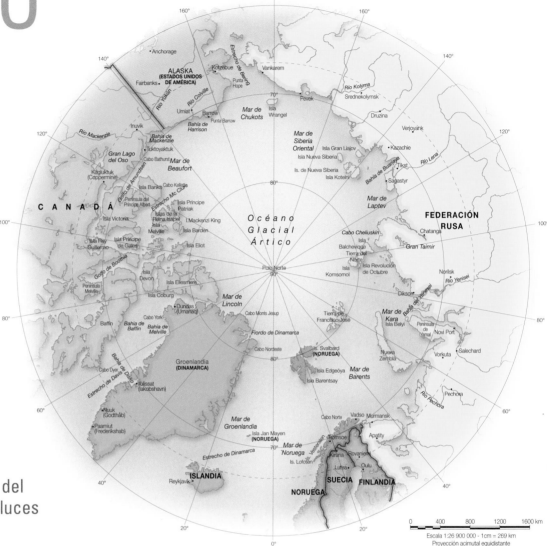

Los **icebergs** son parte de glaciares o bancos de hielo, de los que se separaron, y que flotan sueltos en el mar. ¿Sabías que la mayor parte del volumen del iceberg está por debajo de la superficie del agua?

✳ La aurora boreal (luces del norte) forma franjas de luces de color en el cielo del Ártico. Si se produce en el hemisferio sur, se denomina *aurora austral*.

La **Antártida** es el continente que rodea el Polo Sur, con una superficie de 13 176 727 km². Presenta una forma circular maciza y poco accidentada. En las costas se alzan grandes barreras de hielo denominadas *plataformas*, que al fragmentarse originan la formación de **icebergs**.

La Antártida presenta un **clima polar** donde se registran temperaturas mínimas de hasta 50 ºC bajo cero, y los meses cálidos no superan los 0 ºC. El frío intenso es debido a que los rayos solares caen rasantes y a que la noche polar dura seis meses. Las precipitaciones son escasas. Estas condiciones climáticas determinan que la escasa **vegetación** se reduzca a líquenes, hongos, musgos y algas, y a que los pocos animales que viven allí estén provistos de grandes cantidades de pelo o grasa que los protege del frío (pingüinos, focas, ballenas…).

La Antártida ha despertado siempre un interés económico por la pesca de la ballena y su riqueza en hierro, cobre, carbón, uranio, níquel, petróleo, gas natural…También se asientan **bases científicas** para realizar sondeos de los suelos helados y recoger muestras para su estudio.

El **Ártico** comprende todas las tierras que se encuentran al norte del círculo polar ártico. Esta región está ocupada por un extenso océano, el **Glacial Ártico**, cubierto por una capa de hielo de tres metros de espesor y por algunas tierras pertenecientes a los continentes de Asia, América y Europa. El hielo que cubre el suelo durante todo el año solo permite la existencia de una vegetación muy pobre, formada por musgos y líquenes: la **tundra**.

OCÉANOS Y DORSALES

OCÉANO GLACIAL ÁRTICO

Isla Ellesmere

Islas de la Reina Isabel

Groenlandia

Isla Banks

Isla Victoria

Mar de Beaufort

Isla de Baffin

Círculo Polar Ártico

Bahía de Baffin

Mar de Dinamarca

Islandia

Feroe

Shetland

Corriente del Labrador

Mar de Labrador

Cuenca de Islandia

Meseta de Rockall

Mar del Norte

Golfo de Alaska

Islas Aleutianas

Bahía de Hudson

Terranova

Deriva del Atlántico Norte

OCÉANO ATLÁNTICO NORTE

Islas Británicas

EUR

Cuenca del Pacífico Nororiental

AMÉRICA DEL NORTE

Corriente del Golfo

Bermudas

Cuenca de América del Norte

Dorsal del Atlántico Medio

Azores

Cuenca de las Canarias

Madeira

Canarias

Illes Baleares

Mar

Corriente de California

OCÉANO PACÍFICO NORTE

Golfo de México

Cuba

MACARONESIA

Corriente de las Canarias

Trópico de Cáncer

Islas Hawái

Cuenca de Yucatán

La Española

Revillagigedo

AMÉRICA CENTRAL

Mar Caribe

Pequeñas Antillas

Islas de Cabo Verde

Corriente Ecuatorial

Clipperton

Cuenca de Guatemala

Dorsal Coco

Trinidad

Cuenca de Guayana

Ecuador

Galápagos

Fosa del Romanche

Golfo de Guinea

Islas Marquesas

Cuenca Bauer

Cuenca de Perú

Cuenca de Brasil

Ascensión

Cuenca de Angola

Islas Cook

POLINESIA

Archipiélago Tuamotu

Dorsal de Nazca

AMÉRICA DEL SUR

Corriente de Benguela

Pendiente del Pacífico Oriental

Cuenca de Chile

-8064 m

Dorsal del Atlántico Medio

Santa Helena

Trópico de Capricornio

Pitcairn

Sala y Gómez

Isla de Pascua

Cuenca de Roggeveen

Corriente de Humbolt

Fosa Peruanochilena

Juan Fernández

Corriente de Brasil

Tristán da Cunha

Gough

Cuenca del Pacífico Suroriental

OCÉANO PACÍFICO SUR

Río de la Plata

OCÉANO ATLÁNTICO SUR

Mar Argentino

Cuenca de Argentina

Islas Malvinas

Isla Georgia del Sur

-8325 m

Cuenca del Pacífico Sudoeste

Mar del Scotia

Isla Sandwich del Sur

Paso de Drake

Isla Shetland del Sur

Círculo Polar Antártico

Bouvet

Mar de Weddell

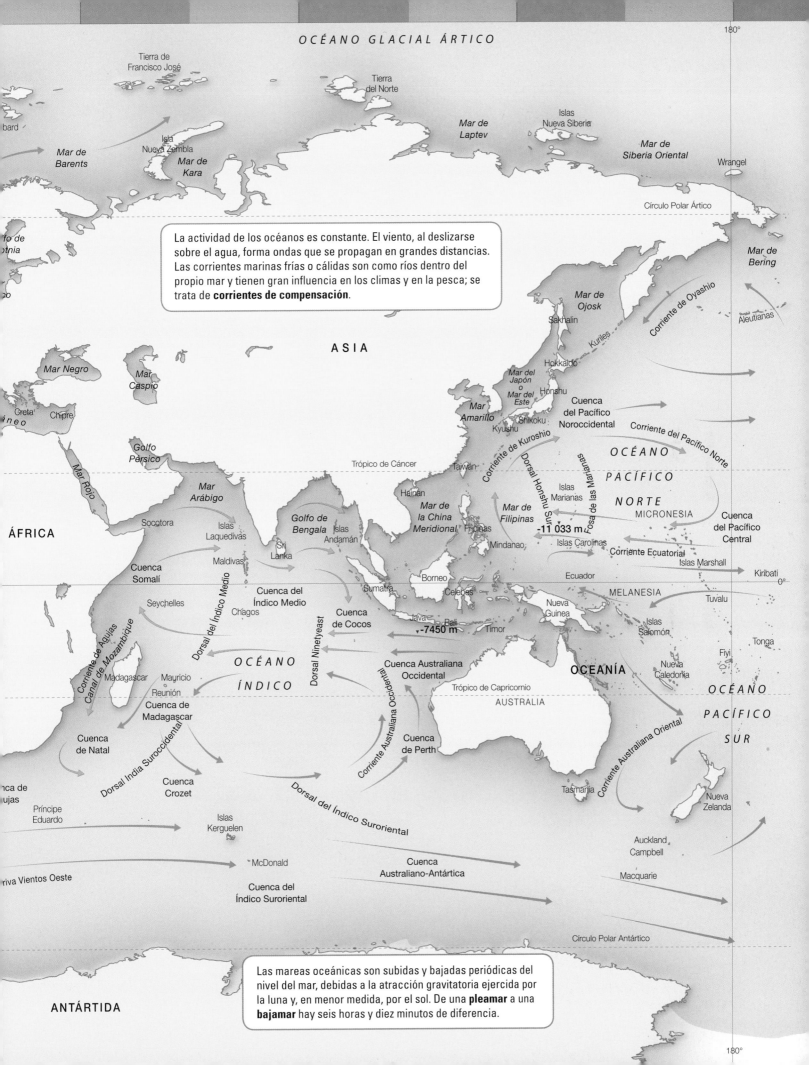

Tierra de
Francisco José

Tierra
del Norte

Islas
Nueva Siberia

bard

Mar de
Barents

Isla
Nueva Zembla

Mar de
Kara

Mar de
Laptev

Mar de
Siberia Oriental

Wrangel

fo de
tnia

Círculo Polar Ártico

Mar de
Bering

La actividad de los océanos es constante. El viento, al deslizarse
sobre el agua, forma ondas que se propagan en grandes distancias.
Las corrientes marinas frías o cálidas son como ríos dentro del
propio mar y tienen gran influencia en los climas y en la pesca; se
trata de **corrientes de compensación**.

Mar de
Ojosk

Corriente de Oyashio

Sakhalin

Aleutianas

ASIA

Kuriles

Mar Negro

Mar
Caspio

Hokkaido

Mar del
Japón
o
Mar del
Este

Honshu

Cuenca
del Pacífico
Noroccidental

Corriente del Pacífico Norte

OCÉANO

Creta

Chipre

neo

Mar
Amarillo

Shikoku

Kyushu

Corriente de Kuroshio

Dorsal Honshu Sur

PACÍFICO

Golfo
Pérsico

Trópico de Cáncer

Taiwán

NORTE

Islas
Marianas

MICRONESIA

Mar Rojo

Mar
Arábigo

Hainan

Mar de
la China
Meridional

Filipinas

Mar de
Filipinas

Fosa de las Marianas

-11 033 m

Cuenca
del Pacífico
Central

ÁFRICA

Socotora

Islas
Laquedivas

Golfo de
Bengala

Islas
Andamán

Mindanao

Islas Carolinas

Corriente Ecuatorial

Islas Marshall

Sri
Lanka

Maldivas

Cuenca
Somalí

Dorsal del Índico Medio

Cuenca del
Índico Medio

Borneo

Sumatra

Celebes

Ecuador

Kiribati
0°

Seychelles

Chágos

Cuenca
de Cocos

Java

Nueva
Guinea

MELANESIA

Tuvalu

Islas
Salomón

Tonga

Corriente de Agujas
Canal de Mozambique

Bali

Timor

Fiyi

OCÉANO
ÍNDICO

Dorsal Ninetyeast

-7450 m

Nueva
Caledonia

OCÉANO

Madagascar

Mauricio

Cuenca Australiana
Occidental

OCEANÍA

PACÍFICO

Reunión

Cuenca de
Madagascar

Corriente Australiana Occidental

Trópico de Capricornio

AUSTRALIA

SUR

Cuenca
de Natal

Cuenca
de Perth

Corriente Australiana Oriental

OCÉANO

Dorsal India Suroccidental

Cuenca
Crozet

Príncipe
Eduardo

Islas
Kerguelen

Dorsal del Índico Suroriental

Tasmania

Nueva
Zelanda

nca de
ujas

Auckland
Campbell

riva Vientos Oeste

McDonald

Cuenca
Australiano-Antártica

Macquarie

Cuenca del
Índico Suroriental

Círculo Polar Antártico

ANTÁRTIDA

Las mareas oceánicas son subidas y bajadas periódicas del
nivel del mar, debidas a la atracción gravitatoria ejercida por
la luna y, en menor medida, por el sol. De una **pleamar** a una
bajamar hay seis horas y diez minutos de diferencia.

PLANISFERIO FÍSICO

OCÉANO GLACIAL ÁRTICO

Islas de la Reina Isabel
Ellesmere
Sverdrup
Archipiélago de Parry
GROENLANDIA

Punta Barrow
Mar de Beaufort
Isla Banks
Isla Victoria
Bahía de Baffin
Tierra de Baffin

Estrecho de Bering
Cordillera Brooks
Montes Mackenzie
Río Yukón
Gran Lago del Oso
Mar de Groenlandia
Mar del Nor

Mount McKinley 6194
Gran Lago de Esclavo
Bahía de Hudson
Islandia
Feroe
Shetland

Mar de Bering
Golfo de Alaska
Cabo Farewell
Mar del Labrador

Islas Aleutianas
Fosa de las Aleutianas -7882
Archipiélago de la Reina Carlota
Península del Labrador

Isla Vancouver
AMÉRICA DEL NORTE
Lago Winnipeg
Terranova
Irlanda
Gran Bretaña
Mont Bla

Mount Rainier 4392
Lago Superior
Lago Huron
San Pedro y Miquelón
Cabo Land's End
Canal de la Mancha
Pirineos

Cabo Mendocino
Gran Cuenca
Lago Salado
Grandes Llanuras
Lago Michigan
Lago Ontario
Lago Erie
Río San Lorenzo
Cabo de Fisterra
Península Ibérica

OCÉANO PACÍFICO
California
Río Colorado
Sierra Madre Occidental
Montes Apalaches
Cabo Hatteras
Islas Bermudas
OCÉANO ATLÁNTICO
Azores
Cabo de São Vicente
Madeira
Gran Atlas

Cabo San Lucas
Río Grande
Llanura Costera del Golfo
Florida
Canarias
MACARONESIA
S

Hawái
Revillagigedo
Golfo de México
Cabo Sable
Cuba
Fosa Milwaukee -9212
Cabo Blanco
Cabo Verde
Río Senegal
Río Niger

Yucatán
Grandes Antillas
La Española
Jamaica
AMÉRICA CENTRAL
Mar Caribe
Cabo Palmas
Lago Volta

Clipperton
Lago Nicaragua
Lago de Maracaibo
Río Orinoco
Isla Trinidad
Pequeñas Antillas
Cabo Caciporé

Golfo de Panamá
Macizo de las Guayanas
Golfo de Guinea
Ascensión

Ecuador
Islas Galápagos
Chimborazo 6310
Río Amazonas
Cabo San Roque
Cabo Branco

P
O
L
I
N
E
S
I
A
Islas Marquesas
Punta Negra
Cordillera
Llanura Amazónica
AMÉRICA DEL SUR
Río San Francisco

Samoa
Islas Cook
Islas de los Andes
Lago Titicaca
Planicie de Mato Grosso
Meseta Brasileña
Santa Helena

Archipiélago Tuamotu
Golfo de Arica
Río Paraguay

Pitcairn
Cabo de Santo Tomé

Islas Gambier
Isla de Pascua
Sala y Gómez
Aconcagua 6959
Río Uruguay
Río Paraná
Río de la Plata

OCÉANO PACÍFICO
Juan Fernández
La Pampa
Río Colorado
Río Negro
OCÉANO ATLÁNTICO

Tristán da Cunha

Isla de Chiloé
Patagonia
Península de Valdés

Islas Malvinas (Falkland)

Estrecho de Magallanes
Isla Grande de Tierra del Fuego
Islas Georgias del Sur

metros
+4000
3000
2000
1000
500
200
0
Cabo de Hornos
Estrecho de Drake
Fosa Sandwich del Sur
Islas Sandwich del Sur

200
1000
2000
3000
+4000
Isla Shetland del Sur
Islas Orcadas del Sur
8428

Península Antártica
Mar de Weddell
Bou

PLANISFERIO POLÍTICO

OCÉANO GLACIAL ÁRTICO

Islas de la Reina Isabel
Ellesmere
Sverdrup
Archipiélago de Parry
Isla Banks
Isla Victoria
Tierra de Baffin
Bahía de Baffin
Groenlandia (DINAMARCA)
Mar de Beaufort
Mar de Groenlandia
FEDERACIÓN RUSA
Estrecho de Bering
Alaska (EE. UU.)
Mar de Bering
Islas Aleutianas
Golfo de Alaska
Archipiélago de la Reina Carlota
Isla Vancouver
Bahía de Hudson
Mar del Labrador
Reykjavik ISLANDIA
Feroe
Shetland (REINO UNIDO)
Mar del Norte
IRLANDA Dublín
REINO UNIDO
Londres
Bruselas BÉLG
París
FRAN
CANADÁ
Terranova
Ottawa
San Pedro y Miquelón (FRANCIA)
ESTADOS UNIDOS DE AMÉRICA
Washington
OCÉANO ATLÁNTICO
Azores (PORTUGAL)
PORTUGAL ESPAÑA
Madrid
Lisboa
Bale
Madeira (PORTUGAL)
Rabat
MARRUECOS
OCÉANO PACÍFICO
Golfo de México
Nassau
La Habana BAHAMAS
MÉXICO
Ciudad de México
Islas Bermudas (REINO UNIDO)
Canarias (ESPAÑA)
El Aaiún
SAHARA OCCIDENTAL
ARGE
Hawái (EE. UU.)
Revillagigedo (MÉXICO)
CUBA
HAITÍ REPÚBLICA DOMINICANA
Pt. Príncipe
BELICE JAMAICA
GUATEMALA Belmopán
Guatemala
HONDURAS
San Salvador Tegucigalpa
EL SALVADOR
Managua
NICARAGUA
COSTA RICA
San José
PANAMÁ
Kingston
Santo Domingo
Mar Caribe
Caracas
Panamá
MAURITANIA
CABO VERDE Nuakchott
Praia
Dakar SENEGAL
MALÍ
BURKINA FASO
GUINEA BISSAU Bamako
Banjul GAMBIA
Bissau
Conakry GUINEA
Freetown
SIERRA LEONA Yamusukro
Monrovia
LIBERIA
Uagadugú
TOGO BENIN
GHANA
Lomé
Accra
COSTA DE MARFIL
VENEZUELA
Georgetown
GUYANA Paramaribo
SURINAM Cayena
Guayana Francesa
COLOMBIA Bogotá
Isla Trinidad
Santo T
SANTO T Y PRIN
Golfo de Guinea
Ascensión (REINO UNIDO)
Ecuador
Quito ECUADOR
Islas Galápagos (ECUADOR)
BRASIL
PERÚ
Lima
REPÚBLICA DE KIRIBATI
Islas Tokelau (NUEVA ZELANDA)
SAMOA Apia
Samoa Americana (EE. UU.)
Islas Marquesas
Niue (NUEVA ZELANDA)
Islas Cook (NUEVA ZELANDA)
Polinesia Francesa (FRANCIA)
Clipperton (FRANCIA)
La Paz
BOLIVIA
Sucre
Brasilia
Santa Helena (REINO UNIDO)
Pitcairn (REINO UNIDO)
Isla de Pascua (CHILE)
Sala y Gómez (CHILE)
PARAGUAY
Asunción
OCÉANO PACÍFICO
CHILE
Juan Fernández (CHILE)
Santiago
ARGENTINA
Buenos Aires
URUGUAY
Montevideo
OCÉANO ATLÁNTICO
Tristán da Cunha (REINO UNIDO)
Isla de Chiloé
Islas Malvinas (Falkland) (REINO UNIDO)
Islas Georgias del Sur (REINO UNIDO)
Islas Sandwich del Sur (REINO UNIDO)
Isla Grande de Tierra del Fuego
Estrecho de Drake
Mar de Weddell
Isla Shetland del Sur
Islas Orcadas del Sur

América
1 Islas Caimán (Reino Unido) - George Town
2 Islas Turcas y Caicos (Reino Unido) - Cockburn Town
3 Puerto Rico (EE. UU.) - San Juan
4 Islas Vírgenes (EE. UU.) - Charlotte Amalie
5 Islas Vírgenes (Reino Unido) - Road Town
6 Anguila (Reino Unido) - The Valley
7 San Martín - Philipsburg
8 San Cristóbal y Nieves - Basseterre
9 Montserrat- Plymouth
10 Antigua y Barbuda - Saint John's
11 Guadalupe (Francia) - Basse-Terre
12 Dominica - Roseau
13 Martinica (Francia) - Fort-de-France
14 Santa Lucía - Castries
15 San Vicente y las Granadinas - Kingstown
16 Barbados - Bridgetown
17 Granada - Saint George's
18 Trinidad y Tobago - Puerto España

19 Curasao - Willemstad
20 Aruba - Oranjestad

Europa
21 Andorra - Andorra la Vella
22 Mónaco - Mónaco
23 Vaticano - Ciudad del Vaticano
24 San Marino - San Marino
25 Liechtenstein - Vaduz
26 Luxemburgo - Luxemburgo
27 Eslovenia - Liubliana
28 Croacia - Zagreb
29 Bosnia y Herzegovina - Sarajevo
30 Serbia - Belgrado
31 Montenegro - Pogdorica
32 Kosovo - Pristina
33 Macedonia - Skopje

Asia
34 Autoridad Nacional Palestina - Ramala

SISTEMA SOLAR

Formado por el Sol, ocho planetas, además de tres planetas enanos (Plutón, Ceres y Eris), satélites, asteroides, cometas, meteoritos, polvo y gas. Mercurio es el planeta más próximo al Sol, seguido de Venus, Tierra, Marte, Júpiter, Saturno, Urano y Neptuno. Los planetas terrestres son los cuatro más cercanos al Sol: Mercurio, Venus, Tierra y Marte. Estos son llamados *terrestres* porque tienen una superficie rocosa compacta. A Júpiter, Saturno, Urano y Neptuno se les conoce como los *planetas jovianos* por su parecido con Júpiter, puesto que son gigantescos comparados con la Tierra y tienen naturaleza gaseosa como la de Júpiter.

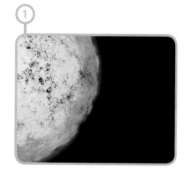

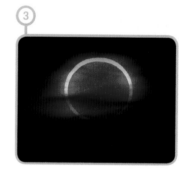

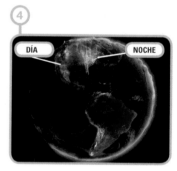

El Sol
Es una estrella enorme, incandescente, mucho mayor que la Tierra y situada en uno de los brazos de la espiral de la Vía Láctea. Es una fuente de luz natural y calor, y sin él no existiría la vida en la Tierra. Los planetas y sus respectivos satélites giran en torno a él.

Cometa Halley
Los cometas son fragmentos de hielo y rocas que giran en torno al Sol. Uno de los cometas más conocidos es el cometa Halley, que tarda 76 años en dar una vuelta alrededor del Sol.

Eclipse solar
Se produce cuando la Luna oculta al Sol, pero se tiene que dar siempre que haya luna llena. Los eclipses pueden ser parciales, semiparciales, totales y anulares, como el que podemos apreciar en la fotografía.

Noche y día
Debido a la rotación de la Tierra sobre su eje, la luz solar no incide sobre toda la superficie terrestre de la misma forma ni al mismo tiempo. Por ello, en cada zona del planeta la hora es diferente. Para solventar esto se dividió la Tierra en 24 husos horarios de 15º de longitud.

En 2006, la Unión Astronómica Internacional eliminó Plutón de la lista de planetas y lo incluyó en los planetas enanos.

Mercurio. Planeta más cercano al Sol y, también, el más pequeño. Debe su nombre al dios romano mensajero de los dioses y protector de viajeros y comerciantes.

Venus. Segundo planeta del sistema solar y el más parecido en dimensiones a la Tierra. Es el más brillante y debe su nombre a la diosa romana de la belleza y el amor.

Tierra. Tercer planeta del sistema solar, diminuto comparado con Júpiter y Saturno. A la Tierra se la conoce como *planeta azul* debido a que la mayor parte de su superficie se encuentra cubierta de agua.

La parte sólida de la superficie terrestre es la litosfera; la líquida, la hidrosfera; y la gaseosa, la atmósfera. La biosfera es toda la zona de aire, tierra y agua del planeta ocupada por los seres vivos.

Marte. Cuarto planeta en distancia con respecto al Sol y que suele recibir el nombre de *planeta rojo*. Los romanos le dieron el nombre en honor a su dios de la guerra.

Júpiter. Quinto planeta en distancia con respecto al Sol y el de mayores dimensiones de los planetas de nuestro sistema solar. Recibe el nombre del dios de los dioses, según la mitología romana.

Saturno. Sexto planeta en distancia con respecto al Sol y el segundo más grande del sistema solar. Como el resto de planetas gaseosos (Júpiter, Urano, Neptuno) tiene anillos de material rocoso.

La Tierra, además de moverse sobre su eje, realiza un movimiento alrededor del Sol llamado *traslación*. Dar una vuelta en torno al astro rey le lleva a la Tierra un año.

Urano. Séptimo planeta en distancia con respecto al Sol y el tercero más grande del sistema solar. Recibe su nombre del dios del cielo estrellado, padre de Saturno, Venus y de otros muchos dioses.

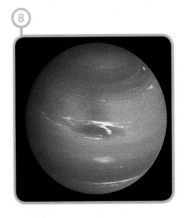

Neptuno. Octavo planeta en distancia con respecto al Sol. Lleva el nombre del dios romano del mar y de las aguas.

UNIVERSO

El universo está formado por millones de galaxias. Los astros (planetas, estrellas, satélites y otros cuerpos celestes) se reúnen en grupos llamados *nebulosas*. La Tierra, el Sol, los planetas y casi todos los astros que divisamos a simple vista están en una de estas nebulosas: la Vía Láctea, que tiene forma de espiral compuesta por un núcleo del que salen una serie de brazos en uno de los cuales se localiza el Sol.

- Sol
- Brazo de Orión
- Brazo de Sagitario
- Brazo de Perseo
- Núcleo
- Brazo de Cruz Centauro

1

2

3

4

Astronomía

Los astrónomos son los científicos que estudian el universo. Su herramienta fundamental de trabajo es el telescopio, que es un aparato formado por lentes y espejos que hace que las cosas que están lejos parezcan estar cerca.

Big Bang

Es la teoría actual sobre el origen del universo, según la cual, hace 15 000 millones de años toda la materia estaba concentrada en una gran masa. Esta masa sufrió una enorme explosión debido a la presión y temperatura que soportaba. La explosión dispersó la materia en todas las direcciones.

Vía Láctea

El Sol no es más que una entre los muchos millones de estrellas de la Vía Láctea, pero es el centro del sistema solar. Los componentes más abundantes del Sol son dos gases, el hidrógeno y el helio.

La Luna

Es nuestro satélite natural. Gira alrededor de la Tierra y solo emite la luz que recibe del Sol. Realiza tres movimientos: traslación en torno a nuestro planeta, rotación sobre sí misma y el que realiza alrededor del Sol. En los dos primeros, la Luna tarda algo menos de 28 días.

La traslación de la Luna alrededor de la Tierra es la causa de que siempre la veamos diferente. Dependiendo de la posición que ocupa la Luna con respecto a la Tierra y el Sol, su superficie estará más o menos iluminada por el Sol y nosotros la veremos con diferentes formas. A estas variaciones se las conoce como *fases lunares*: es luna nueva cuando la Luna está entre la Tierra y el Sol y, por lo tanto, no la vemos; es luna llena cuando la Tierra se ubica entre el Sol y la Luna, recibiendo esta los rayos del sol en su cara visible, por tanto se ve completa. En el cuarto menguante y cuarto creciente la Luna, la Tierra y el Sol se encuentran formando un ángulo recto, observándose en el cielo la mitad de la Luna en su período decreciente o de crecimiento.

✴ Además de Vía Láctea, en algunas zonas, esta galaxia se denomina *Camino de Santiago*. Esto se debe a que los peregrinos que viajaban hacia Santiago de Compostela utilizaban la Vía Láctea para orientarse.

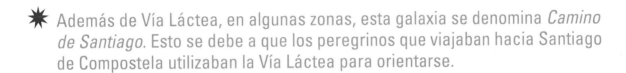

⑤

⑥

⑦

⑧

Nebulosa de Orión
Las nebulosas son grandes concentraciones de gas, (principalmente, hidrógeno y helio) y de polvo cósmico procedente de la explosión de algunas estrellas. La nebulosa de Orión, también conocida como *Messier 42*, es una de las más fáciles de reconocer.

Galaxias
Son grandes acumulaciones de estrellas, gas y polvo cósmico (partículas de rocas suspendidas en el espacio), y, en ocasiones, también poseen sistemas planetarios. Andrómeda, la mayor de las galaxias más cercanas, está compuesta por 300 000 millones de estrellas.

Tipos de galaxias
Hay tres tipos principales de galaxias: las elípticas, las espirales y las irregulares. El Sol pertenece a una galaxia espiral (Vía Láctea). Las elípticas tienen forma de disco y las irregulares no tienen forma definida.

Galileo
Ya las primeras civilizaciones consideraban que la Tierra era el centro del universo, y que todos los astros, incluido el Sol, giraban alrededor de ella.Científicos como Copérnico y Galileo proponen que el Sol era el centro del universo y los demás planetas giraban a su alrededor.

Índice toponímico

Bouvet	120-121	G6
Bouvet	118-119	G6
Bouvet	118-119	G6
Braga	86	C4
Branco, cabo	48	H5
Branco, cabo	118-119	E4
Brandberg	32	E7
Brasil	50	G5
Brasil	120-121	E4
Brasilia	50	G5
Brasilia	120-121	E4
Brasov	86	F4
Bratislava	86	E4
Bratislava	120-121	G2
Bratsk	68	E2
Brazzaville	34	E5
Brazzaville	120-121	G4
Bremen	86	D3
Brest	86	C4
Bretaña	84	C4
Briansk	86	G3
Briceni	86	F4
Bridgetown	120-121	E3
Bridgetown	50	G4
Brighton	86	C3
Brisbane	100	E6
Broken Hill	100	C-D7
Brooks, cordillera	48	B1
Brovary	86	G3
Bruce, Monte	100	A-B6
Brujas	86	D3
Brunéi	68	E4
Brunéi	120-121	J3
Bruselas	86	D3
Bruselas	120-121	F-G2
Bucaramanga	50	F4
Bucarest	86	F4
Bucarest	120-121	G2
Budapest	86	E-F4
Budapest	120-121	G2
Buena Esperanza, cabo de	32	E8
Buena Esperanza, cabo de	118-119	G5
Buenos Aires	50	G6
Buenos Aires	120-121	D-E5
Bujumbura	34	F-G5
Bujumbura	120-121	G4
Bukit Malino	66	F4
Bulawayo	34	F-G7
Bulgaria	86	F4
Bulgaria	120-121	G2
Bunbury	100	A7
Burdeos	86	C4
Burgas	86	F4
Burgos	86	C4
Burkina Faso	34	C3
Burkina Faso	120-121	F3
Bursa	68	A2
Burundi	34	F-G5
Burundi	120-121	H4
Búsqueda, Archipiélago	100	B7
Bután	68	D3
Bután	120-121	J3
Butuan	68	F4
Ca Mau, punta	68	E4
Ca Mau, punta	66	E4
Ca Mau, punta	118-119	J3
Cabinda	34	E5
Cabinda	120-121	G4
Cabo d'Ambre	32	H-I6
Cabo d'Ambre	118-119	H4
Cabo Verde	120-121	F3
Cabo Verde, islas	32	A2
Cabora Bassa, lago	32	G6
Cáceres	86	C5
Caciporé, cabo	118-119	E3
Cadena Costera	48	C2
Cadena Costera	118-119	B2
Cádiz	86	C5
Cádiz, golfo de	84	C5
Caen	86	C4
Cagayán	68	F4
Cagliari	86	D5
Cahul	86	F4
Cairns	100	D5
Calais	86	D3
Calbayog	68	F4
Calcula (Kolkatta)	68	D3
Calgary	50	D2
Cali	50	F4
California	118-119	C3
Camboya	68	E4
Camboya	120-121	J3
Cambridge	86	D3
Camerún	32	E4
Camerún	34	E4
Camerún	118-119	G3
Camerún	120-121	G3
Campbell	118-119	L5
Campbell	120-121	L5
Campinas	50	G6
Campo Grande	50	G6
Can Tho	68	E4
Canadá	50	D-E2
Canadá	120-121	C2
Canal de la Mancha	84	C3-4
Canal de la Mancha	118-119	F2
Canarias	118-119	F3
Canarias	120-121	F3
Canarias, islas	32	B2
Canarias, islas	34	B2
Canberra	100	D-E7
Canberra	120-121	K5
Candía	86	F5
Canguros, Isla de los	100	C7
Cantábrico, mar	86	C4
Cantábrico, mar	84	C4
Cantón (Guangzhou)	68	E3
Caracas	50	F4
Caracas	120-121	D3
Carak	86	F4
Cardiff	86	C3
Caribe, mar	118-119	D3
Caribe, mar	120-121	D3
Carneige, lago	100	B6
Carolinas, islas	118-119	K-L3
Caroline	100	J5
Cárpatos	84	F4
Cárpatos	118-119	G2
Carpentaria, golfo de	100	C5
Carpentaria, golfo de	118-119	K4
Cartagena	50	F4
Cartier	100	B5
Casablanca	34	C1
Caspio, depresión del	84	H4
Caspio, mar	86	H4
Caspio, mar	84	I4
Caspio, mar	68	B2
Caspio, mar	66	B2
Caspio, mar	118-119	H2
Castries	120-121	D3
Castries	50	F4
Catania	86	E5
Catanzaro	86	E5
Catar	68	B3
Catar	120-121	H3
Cáucaso	84	H4
Cáucaso	66	B2
Cáucaso	118-119	H2
Cayena	50	G4
Cayena	120-121	E3
Ceboksary	86	H3
Cebú	68	F4
Cecerleg	68	E2
Ceilán	32	D4
Célebes	68	E-F5
Célebes	66	E-F5
Célebes	118-119	J-K4
Célebes	120-121	J-K4
Célebes, mar de	68	F4
Célebes, mar de	66	F4
Célebes, mar de	118-119	J-K3
Cerdeña	86	D5
Cerdeña	84	D-E5
Cerdeña	118-119	G2
Cerdeña	120-121	G2
Ceské Budejovice	86	E4
Ceuta	86	C5
Chad	34	E3
Chad	120-121	G3
Chad, lago	32	E3
Chad, lago	118-119	G3
Chagos	118-119	I4
Chalbi, desierto de	32	G4
Chang Jiang (Azul)	118-119	J2
Changchun	68	E-F2
Changsha	68	E3
Changzhí	68	E3
Chapada Diamantina	48	G5
Chari, río	32	E3-4
Charles, cabo	48	G2
Charlotte	50	E3
Charlotte Amalie	120-121	D3
Charlotte Amalie	50	F4
Chatanga	68	E1
Chatham	100	H8
Cheliábinks	68	B-C2
Cheliuskin, cabo	68	E1
Cheliuskin, cabo	66	E1
Chengdu	68	E3
Cherepovets	86	G3
Chernigov	86	G3
Chernovtsi	86	F4
Cherski, montes de	66	F-G1
Cherson	86	G4
Chesterfield	100	E-F6
Chiang Mai	68	D4
Chicago	50	E2
Chiclayo	50	E-F5
Chihuahua	50	D3
Chile	50	F6
Chile	120-121	D5
Chiloé, isla de	50	F7
Chiloé, isla de	48	F7
Chiloé, isla de	118-119	D5
Chiloé, isla de	120-121	D5
Chimborazo	48	F5
Chimborazo	118-119	D4
China	68	D-E3
China	120-121	J2
China meridional, mar de	68	E4
China meridional, mar de	66	E4
China meridional, mar de	118-119	J3
China meridional, mar de	120-121	J3
China meridional, meseta de	66	E3
China meridional, meseta de	118-119	J3
China, Gran Llanura	66	E3
China, Gran Llanura	118-119	J2
Chingola	34	F6
Chipata	34	G6
Chipre	86	G5
Chipre	118-119	H2
Chipre	120-121	H2
Chipre	84	G5
Chisimaio	34	H5
Chisinau	86	F4
Chisinau	120-121	G-H2
Chitá	68	E2
Chittagong	68	D3
Chongjín	68	F2
Chongqing	68	E3
Chot el Yerid	32	D1
Chot Melrhir	32	D1
Christchurch	100	G8
Chukotka, península de	66	I1
Churchill	50	E2
Chuuk	100	E3
Cícladas, islas	32	F1
Cícladas, islas	34	F1
Cincinnati	50	E3
Cinto, Monte	84	D4
Cirenaica	32	F1
Ciudad de México	50	E4
Ciudad de México	120-121	C3
Ciudad del Cabo	34	E8
Ciudad del Cabo	120-121	G5
Ciudad del Vaticano	120-121	G2
Ciudad Guayana	50	F4
Ciudad Juárez	50	D3
Clipperton	50	D4
Clipperton	48	D4
Clipperton	118-119	C3
Clipperton	120-121	C3
Cluj-Napoca	86	F4
Cochabamba	50	F5
Cockburn Town	120-121	D3
Cockburn Town	50	F3
Cocos, islas	120-121	J4
Cocos, islas	118-119	J4
Coimbatore	68	C4
Coimbra	86	C4
Cojbalsán	68	E2
Colombia	50	F4
Colombia	120-121	D3
Colombo	68	C-D4
Colonia	86	D3
Colorado, río	48	D3-F6
Colorado, río	118-119	D5 C2
Columbus	50	E2-3
Commonwealth de las Marianas Septentrionales	100	D-E2
Commonwealth de las Marianas Septentrionales	120-121	K3
Comodoro Rivadavia	50	F7
Comores	34	H6
Comores	118-119	H4
Comores	120-121	H4
Comores, islas	32	H6
Comores, islas	34	H6
Conakry	34	B4
Conakry	120-121	F3
Concepción	50	F6
Congo	34	E5
Congo	120-121	G4
Congo, cuenca del	32	E-F4
Congo, cuenca del	118-119	G3-4
Congo, río	32	F4-E5
Congo, río	118-119	G4
Constantina	34	D1
Constanza	86	F4
Constanza, lago	84	D-E4
Conway	100	G6
Cook, estrecho de	100	G8
Cook, islas	100	I5
Cook, islas	118-119	A4
Cook, islas	120-121	A4
Cook, mount	100	F-G8
Cook, mount	118-119	L5
Copenhague	86	D-E3
Copenhague	120-121	G2
Coral, mar del	100	E5
Coral, mar del	118-119	L4
Córcega	86	D5
Córcega	84	D-E4
Córcega	118-119	G2
Córcega	120-121	G2
Cordillera Bética	84	C5
Cordillera Brooks	118-119	A-B1
Cordillera Cantábrica	84	C4
Cordillera Central	48	E4
Cordillera Central	48	F4
Cordillera Costera	48	D2
Cordillera de los Andes	48	F5
Cordillera de los Andes	118-119	D4-5
Cordillera Occidental	48	F4
Cordillera Oriental	48	F4
Córdoba	50	F6
Córdoba	86	C5
Córdoba, sierras de	48	F6
Corea	118-119	K2
Corea del Norte	68	F2-3
Corea del Norte	120-121	K2
Corea del Sur	68	F3
Corea del Sur	120-121	K2
Corea, península de	66	F3
Cork	86	C3
Corrientes	50	G6
Cosenza	86	E5
Cosmoledo	32	H-I5
Costa de Marfil	34	C4
Costa de Marfil	120-121	F3
Costa Rica	50	E4
Costa Rica	120-121	C-D3
Cotopaxi	48	E-F5
Cracovia	86	F4
Craiova	86	F4
Creta	86	F5
Creta	84	F5
Creta	118-119	G2
Creta	120-121	G2
Crimea, península de	84	G4
Cristal, montes de	32	E5
Croacia	120-121	G2
Croacia	86	E4
Cuando, río	32	F6
Cuba	50	F3
Cuba	118-119	D3
Cuba	120-121	D3
Cubango, río	32	E6
Cúcuta	50	F4
Cuenca	50	F5
Cuiabá	50	G5
Culiacán	50	D3
Cumikan	68	F2
Cunene, río	32	E6
Curasao	120-121	D3
Curasao	50	F4
Curitiba	50	G6
Curtis	100	H7
Cuzco	50	F5
Da lat	68	E4
Da Nang	68	E4
Dadu	68	C3
Dailán	68	E3
Dakar	34	B3
Dakar	120-121	F3
Dakhla	34	B2
Dalandzadgad	68	E2
Dalbandin	68	C3
Dallas	50	E3
Damasco	68	A3
Damasco	120-121	H2
Damavand	66	B3
Danubio	84	E4-F4
Danubio	118-119	G2
Dar as Salam	34	G-H5
Dar Rounga	32	F3-4
Darfur	32	F3
Darfur Sseptentrional	32	F3
Darhán	68	E2
Darling, mounts	100	A7
Darling, mounts	118-119	J5
Darling, río	100	D6-7
Daru	100	D4
Darwin	100	C5
Davangere	68	C4
Davao	68	F4
Delgado, cabo	32	H6
Delhi	68	C3
Delingha	68	D3
Denpasar	68	E5
Denver	50	D3
Derbent	86	H4
Derby	100	B5
Dessye	34	G3
Detroit	50	E2
Dhaka	68	D3
Dhaka	120-121	I-J3
Dhaulagiri	66	C-D3
Dijon	86	D4
Dikson	68	D1
Dili	68	F5
Dili	120-121	K4
Dinamarca	86	D-E3
Dinamarca	120-121	G2
Diyarbakir	68	B3
Dniéper	84	G4
Dniéper	118-119	H2
Dniepropetrovsk	86	G4
Dniéster	84	F4
Dodoma	34	G5
Dodoma	120-121	H4
Doha	68	B3
Doha	120-121	H3
Dominica	120-121	D3
Dominica	50	F4
Don, río	84	H4-G3
Don, río	66	B2
Dondra, cabo	68	D4
Dondra, cabo	66	D4
Dondra, cabo	118-119	I3
Donetsk	86	G4
Dongola	34	F-G3
Dortmund	86	D3
Douala	34	D-E4
Dover	86	D3
Draa, río	32	C2
Drake, estrecho de	118-119	D5
Drake, estrecho de	120-121	D-E6
Drakensberg, montes	32	F7
Drakensberg, montes	118-119	G5 H4
Dresde	86	E3
Druzina	68	G1
Dubái	68	B3
Dubbo	100	D7
Dublín	86	C3
Dublín	120-121	F2
Duero	84	C4
Dufourspitze	84	D4
Duisburgo	86	D3
Dunedin	100	F-G8
Durban	34	G7-8
Dusambé	68	C3
Dusambé	120-121	I2
Düsseldorf	86	D3
East London	34	F8
Ebro	84	C4
Ebro	118-119	F-G2
Ech Chelif	34	D1
Ecuador	50	E-F5
Ecuador	120-121	D4
Edd	34	H3
Edimburgo	86	C3
Edmonton	50	D2
Egeo, mar	86	F5
Egeo, mar	84	F5
Egipto	34	F-G2
Egipto	120-121	G-H3
Eivissa	86	D5
Ekaterimburgo	68	B-C2
Ekonda	68	E1
El Aaiún	34	B2
El Aaiún	120-121	F3
El Beida	34	F1
El Cairo	34	G1-2
El Cairo	120-121	H2-3
El Callao	50	F5
El Fasher	34	F3
El Goléa	34	D1
El Havre	86	C-D4
El Paso	50	D3
El Pireo	86	F5
El Salvador	50	E4
El Salvador	120-121	C-D3
El Yuf	32	B-C2
El Yuf, desierto	32	C2
Elba	84	E3
Elba	118-119	G2
Elbrus	84	H4
Elbrus	118-119	H2
Elche/Elx	86	C5
Elisabeth, cabo	68	G2
Elisabeth, cabo	66	G2
Elista	86	H4
Ellesmere	118-119	D1
Ellesmere	120-121	D1
Ellice, islas	100	G4
Emi-Koussi	32	E2-3
Emiratos Árabes Unidos (EAU)	68	B3
Emiratos Árabes Unidos (EAU)	120-121	H3
Engaño, cabo	68	F4
Engaño, cabo	66	F4
Engels	86	H3
Ennedi, macizo	32	F3
Enugu	34	D4
Erciyas	66	A3

Johannesburgo 34 F7
Johnston 100 H2
Johor Bahru 68 E4
Jónicas, islas 86 E5
Jónicas, islas 84 E5
Jónico, mar 86 E5
Jónico, mar 84 E5
Jordania 68 A3
Jordania 120-121 H2
Jos 34 D4
Jos, Meseta de 32 D-E3
Juan Fernández, islas 118-119 D5
Juan Fernández, islas 120-121 D5
Juan Fernández, islas 50 E6
Juan Fernández, islas 48 E6
Juba 34 G4
Juba 120-121 H3
Juneau 50 C2
Jungfraa 84 D4
Jura 84 D4
Jylland 84 D3

K2 66 C3
K2 118-119 I2-3
Kabawe 34 F6
Kabul 68 C3
Kabul 120-121 I2
Kaduna 34 D3
Kaédi 34 B3
Kagoshima 68 F3
Kainji, embalse de 32 D3-4
Kalahari, desierto de 32 F7
Kalahari, desierto de 118-119 G4
Kalamata 86 F5
Kaliningrado 86 E-F3
Kalmar 86 E3
Kaluga 86 G3
Kama 84 I3
Kamchatka, península de 66 G-H2
Kamchatka, península de 118-119 L1-2
Kamina 34 F5
Kampala 34 G4
Kampala 120-121 H3
Kamysin 86 H3-4
Kananga 34 F5
Kandahar 68 C3
Kankan 34 C3-4
Kano 34 D3
Kanpur 68 D3
Kaohsiung 68 F3
Kapingamarangi 100 E3
Kapuas, río 66 E4
Kara, mar de 66 C1
Kara, mar de 118-119 I1
Kara, mar de 120-121 I1
Karachi 68 C3
Karakórum 66 C3
Kariba, lago 32 F6
Karlik Shan 66 D2
Karpogory 86 H2
Kasai, río 32 F5
Kasama 34 G5
Katanga 32 F6
Katmandú 68 D3
Katmandú 120-121 I3
Kaunas 86 F3
Kawasaki 68 G3
Kayes 34 B3
Kayseri 68 A3
Kazachie 68 F1
Kazajistán 86 H-I4
Kazajistán 68 C2
Kazajistán 120-121 H-I2
Kazajistán, meseta de 66 C2
Kazán 86 H3
Kazbek 84 H4
Kebneikaise 84 E2
Keetmanshoop 34 E7
Keflavík 86 A2
Kelilvum 66 H1
Kelo 34 E4
Kenia 32 G4-5
Kenia 34 G4
Kenia 120-121 H3
Kenin 100 E6
Kerbala 68 B3
Kerguelen, islas 118-119 I5
Kerguelen, islas 120-121 I5
Kermadec, islas 100 H7
Kermán 68 B3
Kermanshah 68 B3
Khasi 68 C3
Khujand 68 C2
Khulna 68 D3
Kibu, lago 32 F5
Kidal 34 D3
Kielce 86 F3
Kiev 86 F-G3
Kiev 120-121 H2
Kigali 34 F5
Kigali 120-121 G4
Kigoma 34 F-G5
Kikuit 34 E5
Kilimanjaro 32 G5
Kilimanjaro 118-119 H4
Kimberley 34 F7
Kinabala 66 E4
Kinchinjunga 66 D3
Kingston 50 F4
Kingston 100 F6
Kingston 120-121 D3
Kingstown 120-121 D3
Kingstown 50 F4
Kinshasa 34 E5
Kinshasa 120-121 G4
Kinyeti 32 G4
Kirensk 68 E2
Kirguistán 68 C2
Kirguistán 120-121 I2
Kiribati 118-119 M4
Kiritimati 100 I-J3
Kirov 86 H3
Kiruna 86 E-F2
Kisangani 34 F4
Kitakyushu 68 F3
Kitwe 34 F6
Klincy 86 G3
Kobe 68 F3
Kola, península de 84 G2
Kolima, montes de 66 G-H1
Kolima, montes de 118-119 K-L1
Kolima, río 118-119 K1
Koloma 86 G3
Kolpasevo 68 C-D2
Kolwezi 34 F6
Komadugu, río 32 D-E3
Kompas Berg 32 F8
Kondopoga 86 G2
Konosa 86 H2
Konya 68 A3
Konzhakovskii Kamen 84 I3
Kordofán 32 F-G3
Korla 68 D2
Korosten 86 F3
Kosciusko, mount 100 D-E7
Kosciusko, mount 118-119 K-L5
Kosice 86 F4
Kosovo 120-121 G2
Kosovo 86 F4
Kosrae 100 F3
Kostromá 86 H3
Kota 68 C3
Kota Kinabalu 68 E4
Kotlas 86 H2
Kovel 86 F3
Krasnodar 86 G-H4
Krasnoiarsk 68 D2
Krasnovodsk 68 B2-3
Krishna, río 66 C4
Kristiansand 86 D3
Kristiansund 86 D2
Krivpi Rog 86 G4
Kuala Lumpur 68 E4
Kuala Lumpur 120-121 J3
Kuango, río 32 E5
Kuenlún, mounts 66 D3
Kuenlún, mounts 118-119 I-J2
Kuesk 86 G3
Kuh-e-Taftán 66 C3
Kuito 34 E6
Kulsary 68 B2
Kumamoto 68 F3
Kumasi 34 C4
Kungrad 68 B2
Kunming 68 E3
Kurgán 68 C2
Kuriles, Fosa de las 118-119 L2
Kuriles, islas 68 G2
Kuriles, islas 66 G2
Kuriles, islas 118-119 L2
Kurnool 68 C4
Kustanaj 68 C2
Kusti 34 G3
Kutaisi 86 H4
Kuwait (ciudad) 68 B3
Kuwait (ciudad) 120-121 H3
Kuwait (país) 68 B3
Kuwait (país) 120-121 H3
Kuybyshev, embalse 84 H-I3
Kwangju 68 F3
Kyoto 68 F3
Kyrenia 86 G5
Kyushu 32 F3
Kyushu 118-119 K2
Kyushu 120-121 K2
Kyzyl 68 D2
Kzyl-Orda 68 C2

L'Alguer 86 D4
L'Hospitalet de Llobregat 86 D4
La Española 118-119 D3
La Habana 50 E3
La Habana 120-121 D3
La Meca 68 B3
La Pampa 48 F6
La Pampa 118-119 D5
La Paz 50 F5
La Paz 120-121 D4
La Plata 50 G6
La Valeta 120-121 G-2
La Valetta 86 E5
Labasa 100 H5
Labrador, mar del 118-119 E2
Labrador, mar del 120-121 E2
Labrador, península del 48 F2
Labrador, península del 118-119 D2
Ladoga, lago 84 G2
Lagos 34 D4
Lagos 86 C5
Lahore 68 C3
Lahti 86 F2
Lambarené 34 D-E5
Land's End, cabo 84 C4
Land's End, cabo 118-119 F2
Lanín, Volcán 48 F7
Lanzhou 68 E3
Laos 68 E4
Laos 120-121 J3
Lapatka, cabo 68 G2
Lapatka, cabo 66 G2
Lapatka, cabo 118-119 L2
Laptev, mar de 68 E-F1
Laptev, mar de 66 E-F1
Laptev, mar de 118-119 K1
Laptev, mar de 120-121 K1
Laquedivas, islas 118-119 I3
Laquedivas, islas 120-121 I3
Laquedivas, islas 68 C4
Laquedivas, islas 66 C4
Lárisa 86 F5
Larkana 68 C3
Las Vegas 50 D3
Latina 86 E4
Lau, islas 100 H5-6
Lausana 86 D4
Le Mans 86 C-D4
Lealtad, islas de la 100 F6
Leava 100 H5
Lecce 86 E4
Ledianaia 66 H1
Leeds 86 C3
Leewin, cabo 100 A7
Leewin, cabo 118-119 J5
Legazpi 68 F4
Lena, río 66 E2-F1
Lena, río 118-119 K1
Lensk 68 E1
León 50 D3
León 86 C4
León, golfo de 84 D4
Lesoto 34 F7
Lesoto 120-121 G-H4
Letonia 86 F3
Letonia 120-121 G2
Lhasa 68 D3
Lianyungang 68 E-F3
Líbano 68 A3
Líbano 120-121 H2
Liberia 34 B-C4
Liberia 120-121 F3
Líbia 34 E2
Líbia 120-121 G3
Líbico, desierto 32 F2
Líbico, desierto 118-119 G3
Libreville 34 D-E4
Libreville 120-121 G3
Liechtenstein 120-121 G2
Liechtenstein 86 D-E4
Lieksa 86 F2
Lillehammer 86 D-E2
Lilongwe 34 G6
Lilongwe 120-121 H4
Lima 50 F5
Lima 120-121 D4
Limpopo, río 32 G7
Linhares 50 H5
Lipetsk 86 G3
Lisboa 86 C5
Lisboa 120-121 F2
Lituania 86 F3
Lituania 120-121 G2
Liubliana 120-121 G2
Liubliana 86 E4
Liuzhou 68 E3
Liverpool 86 C3
Livingstone 34 F6
Livinstone, Cataratas 32 E5
Llanura Amazónica 48 F5
Llanura Amazónica 118-119 D-E4
Llanura Costera del Golfo 48 E3
Llanura Costera del Golfo 118-119 C2-3
Llanura de Europa Oriental 84 H3
Llanura Húngara 84 E-F4
Lleida 86 D4
Llullaillaco 48 F6
Lobito 34 E6
Lódz 86 E3
Logan, mount 48 B-C1
Logroño 86 C4
Loira 84 D4
Lomé 34 C-D4
Lomé 120-121 F-G3
Londres 86 C3
Londres 120-121 F-G2
López, cabo 32 D5
Lord Howe 100 E-F7
Los Ángeles 50 D3
Lualaba, río 32 F5
Luanda 34 E5
Luanda 120-121 G4
Luang Prabang 68 E3
Luanshya 34 F6
Lubango 34 E6
Lübeck 86 D-E3
Lublin 86 F3
Lubumbashi 34 F6
Lucapa 34 E-F5
Luck 86 F3
Lucknow 68 D3
Lüderitz 34 E7
Ludhiana 68 C3
Luena 34 E-F6
Luganville 100 F5
Luisiada, archipiélago 100 E5
Lulea 86 F2
Lund 86 E3
Lunda, Meseta de 32 E-F5
Lunda, Meseta de 118-119 G4
Luobomo 34 E5
Luoyang 68 E3
Lusaka 34 F6
Lusaka 120-121 G4
Luxemburgo (ciudad) 120-121 G2
Luxemburgo (ciudad) 86 D3-4
Luxemburgo (país) 120-121 G2
Luxemburgo (país) 86 D3-4
Luxor 34 G2
Luzón 32 F4
Luzón 118-119 J-K3
Luzón 120-121 K3
Lvov 86 F4
Lyon 86 D4

M'Banza Congo 34 E5
Maastricht 86 D3
Macareñas, islas 32 I7
Macareñas, islas 34 I7
Macaronesia 118-119 E-F3
Macdonnell, mounts 100 C6
Macdonnell, mounts 118-119 K4
Macedonia 120-121 G2
Macedonia 86 F4
Maceió 50 H5
Macizo Brasileña 48 G5
Macizo Central 84 D4
Macizo de Air 32 D3
Macizo de Guayana 48 F4
Macizo Etiópico 32 G3
Mackenzie 48 C1
Mackenzie, mounts 48 C1
Mackenzie, mounts 118-119 B1
Macquarie 118-119 L5
Macquarie 120-121 L5
Madagascar 34 H6-7
Madagascar 118-119 H4
Madagascar 120-121 H4
Madeira, islas 48 F5
Madeira, islas 86 B5
Madeira, islas 84 B5
Madeira, islas 118-119 F2
Madeira, islas 120-121 F2
Madeira, islas 32 B1
Madeira, islas 34 B1
Madrás (Chennai) 68 D4
Madrid 86 C4
Madrid 120-121 F2
Madurai 68 C-D4
Magadán 68 G2
Magallanes, estrecho de 118-119 D5
Mahajanga 34 H6
Maï-Ndombe, lago 32 E-F5
Maiduguri 34 E3
Mainz 86 D3
Majuro 100 G2
Majuro 120-121 L3
Makhachkala 86 H4
Malabo 34 D4
Malabo 120-121 G3
Malaca, estrecho de 66 E4-5
Malaca, estrecho de 118-119 J3
Malaca, península de 66 E4
Maladi 34 E5
Maladzechna 86 F3
Málaga 86 C5
Malakal 34 G4
Malang 68 E5
Malanje 34 E5
Malasia 68 E4
Malasia 120-121 J3
Malaui 34 G6
Malaui 120-121 H4
Malaui (Niassa), lago 32 G6
Malaui (Niassa), lago 118-119 H4
Malden 100 J4
Maldivas 68 C4
Maldivas 118-119 I3
Maldivas 120-121 I3
Male 68 C4
Male 120-121 I3
Malí 34 C-D3
Malí 120-121 F3
Malindi 34 H5
Malmö 86 E3
Malta 86 E5
Malta 118-119 G2
Malta 120-121 G-2
Malvinas (Falkland), Islas 118-119 D-E5
Malvinas (Falkland), Islas 120-121 D-E5
Malvinas, islas 50 G7
Malvinas, islas 48 G7
Manado 68 F4
Managua 50 E4
Managua 120-121 C-D3
Manakara 34 H7
Manama 68 B3
Manama 120-121 H3
Manaos 50 F5
Manchester 86 C3
Mandalay 68 D3
Mangalore 68 C4
Mangya 68 D4
Manika, llanura de 32 F5
Manila 68 E-F4
Manila 120-121 K3
Manku Sardyk 118-119 J2
Mannheim 86 D3
Manukau 100 G7
Maó o Mahón 86 D4
Maputo 34 G7
Maputo 120-121 H4
Maputo, bahía de 32 G7
Mar Caribe 50 F4
Mar Caribe 48 F4
Mar del Plata 50 G6
Mara 32 G5
Maracaibo 50 F4
Maracaibo, lago de 118-119 D3
Maracay 50 F4
Maradi 34 D3
Maramokotro 32 H6
Marañón 48 F5
Marca, punta de 32 D-E6
Marca, punta de 118-119 G4
Marcus 100 E1
Marianas, Fosa de las 118-119 K-L3
Marianas, islas 118-119 K3
Marianas, islas 120-121 K3
Mármara, mar de 84 F4
Mármora 84 D4-5
Marotiri 100 K6
Maroua 34 E3
Marquesas, islas 100 K-L5
Marquesas, islas 118-119 B4
Marquesas, islas 120-121 B4
Marra 32 F3
Marrakech 34 B-C1
Marruecos 34 C1
Marruecos 120-121 F2
Marsella 86 D4
Marshall, islas 118-119 L3
Martinica 120-121 D3
Martinica 50 F4
Mary 68 C3
Masaka 34 G5
Mascareñas, islas 118-119 H4
Mascate 68 B3
Mascate 120-121 H-I3
Maseru 34 F7
Maseru 120-121 G-H4
Mashhad 68 B3
Masoala, cabo 32 I6
Mata-Utu 100 H5
Matamoros 50 E3
Mato Grosso, Planicie de 118-119 D-E4
Maun 34 F6-7
Mauricio 34 I6
Mauricio 118-119 H4
Mauricio 120-121 H-I4
Mauritania 34 B-C3
Mauritania 120-121 F3
Mazar-i-Sharif 68 C3
Mbabane 34 G7
Mbabane 120-121 H4
Mbandaka 34 E-F4
Mbeya 34 G5
Mbuji-Mayi 34 F5
McDonald 118-119 I5
McDonald 120-121 I5
McKinley 48 B1

McKinley, mount 118-119 A1
Medan 68 D4
Medellín 50 F4
Mediterráneo, mar 32 E1
Mediterráneo, mar 34 E1
Mediterráneo, mar 86 E5
Mediterráneo, mar 84 E5
Mediterráneo, mar 68 A3
Mediterráneo, mar 66 A3
Mediterráneo, mar 118-119 G2
Mediterráneo, mar 120-121 G2
Meekatharra 100 B6
Meerut 68 C3
Mekele 34 G3
Meknés 34 C1
Mekong, río 66 D3-E4
Mekong, río 118-119 J3
Melanesia 118-119 K3 L4
Melbourne 100 D7
Melilla 86 C5
Memphis 50 E3
Mendocino, cabo 118-119 B2
Mendoza 50 F6
Mentawai, islas 68 D5
Mentawai, islas 66 D5
Merca 34 H4
Mergui, archipiélago de 68 D4
Mergui, archipiélago de 66 D4
Mérida 50 E3
Meru 34 G4
Meseta Brasileña 118-119 E4
Meseta de Abisinia 118-119 H3
Meseta de Rusia Central 84 G-H3
Messina 86 E5
Messina, estrecho de 84 E5
Metz 86 D4
Mexicali 50 D3
México 50 D-E4
México 120-121 C3
México, golfo de 50 E3
México, golfo de 48 E3
México, golfo de 118-119 C-D3
México, golfo de 120-121 C-D3
Mezen 86 H2
Miami 50 E3
Michigan, lago 48 E2
Michigan, lago 118-119 D2
Michurinsk 86 G-H3
Micronesia 118-119 K-L3
Midway 100 H1
Mikkeli 86 F2
Milán 86 D4
Milwaukee 50 E2
Milwaukee, Fosa 118-119 D3
Mindanao 32 F4
Mindanao 118-119 K3
Mindanao 120-121 K3
Minneapolis 50 E2
Minsk 86 F3
Minsk 120-121 G2
Miño 84 C4
Misisipi 48 E3
Misisipi, río 118-119 C2
Misurata 34 E1
Misuri 48 D-E1
Mitchell, mount 48 E-F3
Mitumba, mounts 32 F5
Módena 86 E4
Mogadiscio 34 H4
Mogadiscio 120-121 H3
Mogilev 86 G3
Mogoca 68 E2
Moldavia 86 F4
Moldavia 120-121 G-H2
Molucas 118-119 K3
Molucas 120-121 K3
Molucas, islas 68 F5
Molucas, islas 66 F5
Mombasa 34 G-H5
Mónaco 86 D4
Mónaco (ciudad) 120-121 G2
Mónaco (país) 120-121 G2
Monchegorsk 86 G2
Mongo 34 E3
Mongolia 68 D-E2
Mongolia 120-121 J2
Mongu 34 F6
Monrovia 34 B4
Monrovia 120-121 F3
Mont Blanc 84 D4
Mont Blanc 118-119 G2
Montañas Rocosas 48 D2
Montañas Rocosas 118-119 C2
Montecarlo 86 D4
Montenegro 120-121 G2
Montenegro 86 E4
Monterrey 50 D3
Montes Apalaches 48 E3
Montes Mandara 32 E3-4
Montevideo 50 G6
Montevideo 120-121 E5
Montpellier 86 D4
Montreal 50 F2
Montserrat 120-121 D3
Montserrat 50 F4
Mopti 34 C3
Morogoro 34 G5
Moroni 34 H6
Moroni 120-121 H4
Moscú 86 G3
Moscú 120-121 H2
Mosela 84 D3-4
Mosenyo 34 E5
Mosul 68 B3
Mouila 34 D-E5
Moundou 34 E4
Mount Gambier 100 C-D7
Mount Isa 100 C-D5
Mozambique 120-121 H4
Mozambique (ciudad) 34 H6
Mozambique (país) 34 G6
Mozambique, canal de 32 H6
Mozambique, canal de 118-119 H4
Mozambique, canal de 120-121 H4
Mozyr 86 F3
Mtuara 34 H6
Muchinga, mounts 32 G6
Mudanjiang 68 F2
Mueru, lago 32 F-G5
Mufulira 34 F6
Mulhacén 84 C5
Mulhouse 86 D4
Multán 68 C3
Munich 86 E4
Murchinson, cabo 48 E1
Murchison 100 A6
Murcia 86 C5
Murmansk 86 G2
Murray, río 100 D7
Murzuq 34 E2
Musalá 84 F4
Musgrave, mounts 100 B-C6
Mutanje 32 G6
Mzuzu 34 G6

N'Djamena 34 E3
N'Djamena 120-121 G3
Nacala 34 H6
Nagoya 68 F3
Nagpur 68 C3
Naha 68 F3
Nairobi 34 G5
Nairobi 120-121 H4
Nakhon Sawan 68 D-E4
Nakuru 34 G4-5
Nalchik 86 H4
Namibe 34 E6
Namibia 34 E7
Namibia 120-121 G4
Namibia, desierto de 32 E7
Namibia, desierto de 118-119 G4
Nampho 68 F3
Nampula 34 G6
Namsos 86 E2
Nan, montes 66 D3
Nancha Barwa 66 D3
Nanchang 68 E3
Nanga Parbat 66 C3
Nankín (Nanjing) 68 E3
Nanning 68 E3
Nantes 86 C4
Nantong 68 F3
Nápoles 86 E4
Narbona 86 D4
Nares, Fosa del 48 F3
Narmada, río 66 C3
Narodnaia 66 B1
Narodnaia 118-119 I1
Narvik 86 E2
Nashville 50 E3
Nasik 68 C4
Nasirifa 68 B3
Nassau 50 F3
Nassau 120-121 D3
Nasser, lago 32 G2
Nasser, lago 118-119 H3
Natal 50 H5
Nauru 100 F4
Nauru 120-121 L4
Navidad (Christmas), Isla 120-121 J4
Navidad (Christmas), Isla 118-119 J4
Naypyidaw 68 D4
Naypyidaw 120-121 J3
Ndola 34 F6
Negra, punta 118-119 D4
Negro, mar 86 G4
Negro, mar 84 G4
Negro, mar 68 A2
Negro, mar 66 A2
Negro, mar 118-119 H2
Negro, río 48 F5
Negro, río 118-119 D5
Nelkan 68 F2
Nellbre 68 D4
Nema 34 C3
Nepal 68 D3
Nepal 120-121 I3
Neryungri 68 F2
Newcastle 34 F8
Newcastle 86 C3
Newcastle 100 E7
Ngerulmud 100 C3
Ngerulmud 120-121 K3
Niamey 34 D3
Niamey 120-121 G3
Niamuori 32 G5
Nicaragua 50 E4
Nicaragua 120-121 D3
Nicaragua, lago 118-119 C-D3
Nicobar 118-119 I-J3
Nicobar 120-121 I-J3
Nicobar, islas 68 D4
Nicobar, islas 66 D4
Nicosia 86 G5
Nicosia 120-121 H2
Níger 34 D-E3
Níger 120-121 G3
Níger, cuenca del 32 C3
Níger, Delta del 32 D4
Níger, río 32 C3
Níger, río 118-119 F-G3
Nigeria 34 D4
Nigeria 120-121 G3
Niigata 68 F-G3
Nikolajev 86 G4
Nilo Azul, río 32 G3
Nilo Blanco, río 32 G4
Nilo, Delta del 32 G1
Nilo, río 32 G2
Nilo, río 118-119 H3
Ningbo 68 F3
Nioro 34 C3
Nis 86 F4
Niua Topatapu 100 H5
Niue 100 I6
Niue 120-121 A4
Niza 86 D4
Nizhny Nóvgorod 86 H3
Nizhyn 86 G3
Nordvik 68 E1
Norfolk 100 F-G6
Norilsk 68 D1
Noroeste, cabo 100 A6
Noroeste, cabo 118-119 J4
Nörrköping 86 E3
Norte, cabo 84 F1
Norte, cabo 118-119 G1
Norte, isla del 100 G7
Norte, isla del 118-119 L5
Norte, isla del 120-121 L5
Norte, mar del 86 D3
Norte, mar del 84 D3
Norte, mar del 118-119 G2
Norte, mar del 120-121 G2
North Shore 100 G7
Noruega 86 D-E2
Noruega 120-121 G1
Noruega, mar de 86 D2
Noruega, mar de 84 D2
Noruega, mar de 118-119 G1
Noruega, mar de 120-121 G1
Norwich 86 D3
Nouadhibou 34 B2
Nouméa 100 F6
Nóvgorod 86 G3
Novokuzneck 68 D2
Novorossijsk 86 G4
Novosibirsk 68 C-D2
Nuakchott 34 B3
Nuakchott 120-121 F3
Nubia, desierto de 32 G2
Nueva Ámsterdam 120-121 I5
Nueva Ámsterdam 118-119 I5
Nueva Bretaña 100 D-E4
Nueva Caledonia 100 F6
Nueva Caledonia 118-119 L4
Nueva Caledonia 120-121 L4
Nueva Delhi 68 C-D3
Nueva Delhi 120-121 I3
Nueva Guinea 68 F5
Nueva Guinea 66 F5
Nueva Guinea 100 C-D4
Nueva Guinea 118-119 K4
Nueva Guinea 120-121 K4
Nueva Hanover 100 D4
Nueva Irlanda 100 E4
Nueva Orleans 50 E3
Nueva Siberia, Islas de 118-119 K1
Nueva Siberia, Islas de 120-121 K1
Nueva Siberia, Islas de 68 G1
Nueva Siberia, Islas de 66 G1
Nueva York 50 F2
Nueva Zelanda 100 G7-8
Nueva Zelanda 118-119 L5
Nueva Zelanda 120-121 L5
Nueva Zembla 68 B1
Nueva Zembla 66 B1
Nueva Zembla 118-119 H1
Nueva Zembla 120-121 H1
Nuevas Hébridas 100 F-G5
Nuevas Hébridas 118-119 L4
Nuguria, islas 100 E4
Nuku'alofa 100 H6
Nuku'alofa 120-121 M4
Nurenberg 86 D-E4
Nyala 34 F3

Obi, río 66 C1-D2
Obi, río 118-119 I2
Oder 84 E3
Odesa 86 G4
Oeno 100 L6
Ogaden 32 H4
Ogbomosho 34 D4
Ohio 48 E3
Oja 68 G2
Ojotsk 68 G2
Ojotsk, mar de 68 G2
Ojotsk, mar de 66 G2
Ojotsk, mar de 118-119 K2
Ojotsk, mar de 120-121 K2
Okavango, Cuenca del 32 F6-7
Oklahoma City 50 E3
Öland 86 E3
Öland 84 E3
Olimpo 84 F4-5
Oljutorskij, cabo 68 H2
Oljutorskij, cabo 66 H2
Oljutorskij, cabo 118-119 L2
Omán 68 B4
Omán 120-121 H3
Omán, golfo de 68 B-C3
Omán, golfo de 66 B-C3
Omán, golfo de 118-119 H-I3
Omdurman 34 F-G3
Omsk 68 C2
Onega, lago 84 G2
Onitsha 34 D4
Ontario, lago 48 F2
Ontario, lago 118-119 D2
Oporto 86 C4
Oradea 86 F4
Orán 34 C1
Orange, río 32 E-F7
Orange, río 118-119 G4
Oranjestad 120-121 D3
Oranjestad 50 F4
Orcadas del Sur, Islas 120-121 E6
Orcadas del Sur, Islas 118-119 E6
Orcadas, islas 86 C3
Orcadas, islas 84 C3
Orebro 86 E3
Oremburgo 86 I3
Oremburgo 68 B2
Orinoco 48 F4
Orinoco, río 118-119 D3
Orizaba 48 E4
Orléans 86 D4
Ormuz, estrecho de 66 B3
Orsha 86 F-G3
Orsk 68 B2
Orumiyeh 68 B3
Osaka 68 F3
Osh 68 C2
Oskemen 68 D2
Oslo 86 E2-3
Oslo 120-121 G2
Osprey 100 D5
Östersund 86 E2
Ostrov 86 F-G3
Oti, río 32 D3-4
Ottawa 50 F2
Ottawa 120-121 D2
Oujda 34 C1
Oulu 86 F2
Ourense 86 C4
Oviedo 86 C4
Owando 34 E5
Oxford 86 C3
Oyo 34 D4

Padang 68 D-E5
Pago Pago 100 I5
Países Bajos 86 D3
Países Bajos 120-121 G2
Pakanbaru 68 E4-5
Pakistán 68 C3
Pakistán 120-121 I3
Palana 68 G1-2
Palembang 68 E5
Palermo 86 E5
Palikir 100 E3
Palikir 120-121 L3
Palk, estrecho de 66 C4
Palma 86 D5
Palmas, cabo 32 C4
Palmas, cabo 118-119 F3
Palmeirinhas, Punta de 32 D-E5
Palmyra 100 I3
Panamá 50 F4
Panamá 50 E4
Panamá (ciudad) 120-121 D3
Panamá (país) 120-121 D3
Panamá, Canal de 48 E-F4
Panamá, golfo de 118-119 D3
Panamá, Istmo de 48 E-F4
Panevezys 86 F3
Papeete 100 K5
Papúa Nueva Guinea 100 D4
Papúa Nueva Guinea 120-121 K-L4
Paraguay 50 G6
Paraguay 48 G5-6
Paraguay 120-121 D-E4
Paraguay, río 118-119 E4
Parakú 34 D4
Paramaribo 50 G4
Paramaribo 120-121 E3
Paraná 48 G5-6
Paraná, río 118-119 E4
Paranaíba 48 G5
Pariñas, punta 48 E5
París 86 D4
París 120-121 F-G2
Parma 86 D-E4
Pärnu 86 F3
Parry, archipiélago de 118-119 C1
Parry, archipiélago de 120-121 C1
Pascua, isla de 50 D6
Pascua, isla de 48 D6
Pascua, isla de 118-119 C4
Pascua, isla de 120-121 C4
Pasni 68 C3
Patagonia 48 F7
Patagonia 118-119 D5
Patna 68 D3
Patrás 86 F5
Pau 86 C-D4
Pavlodar 68 C2
Pechora 86 I2
Pechora 84 I2
Pécs 86 E4
Pegu 68 D4
Peipus, lago 84 F3
Pekín (Beijing) 68 E2-3
Pekín (Beijing) 120-121 J2
Pemba 34 H6
Pemba 32 H5
Península Antártica 118-119 D6
Penrhyn 100 I-J5
Penza 86 H3
Pequeñas Antillas 48 F4
Pequeñas Antillas 118-119 D3
Perm 86 I3
Perpiñan 86 D4
Pérsico, golfo 68 B3
Pérsico, Golfo 66 B3
Pérsico, golfo 118-119 H3
Perth 100 A7
Perú 50 F5
Perú 120-121 D4
Pescara 86 E4
Peshawar 68 C3
Petropavlovsk-Kamchatsky 68 G-H2
Petrozavodsk 86 G2
Pevek 68 H1
Philipsburg 120-121 D3
Philipsburg 50 F4
Phnom Penh 68 E4
Phnom Penh 120-121 J3
Phoenix 50 D3
Phou Bia 66 E3-4
Pidurutalagala 66 D4
Pietermaritzburg 34 G7
Pilcomayo 48 F6
Pinsk 86 F3
Pirineos 84 C-D4
Pirineos 118-119 F-G2
Pitcairn 100 L-M6
Pitcairn 118-119 B4
Pitcairn 120-121 B4
Pleven 86 F4
Ploiesti 86 F4
Plymouth 120-121 D3
Plymouth 50 F4
Plymouth 86 C3
Po 84 E4
Pobeda 66 G1
Pobedy 66 C-D2
Podgorica 86 E4
Pogdorica 120-121 G2
Pohnpei 100 E3
Pointe Noire 34 D-E5
Poitiers 86 C-D4
Pokrovsk 68 F1
Polinesia 100 H4-I4-K5
Polinesia 118-119 A-B4

Name	Page	Grid
Stávropol	86	H4
Steinkjer	86	D-E2
Stepankert	86	H5
Sterlitamak	86	I3
Stewart	100	F8
Stornoway	86	C3
Stuttgart	86	D-E4
Suazilandia	34	G7
Suazilandia	120-121	G-H4
Sucre	50	F5-6
Sucre	120-121	D4
Sudán	34	F-G3
Sudán	120-121	G-H3
Sudán del Sur	34	G4
Sudán del Sur	120-121	G-H3
Sudeste, cabo	100	D8
Sudeste, cabo	118-119	K5
Suecia	86	E2
Suecia	120-121	G1
Suez	34	G2
Suez, Canal de	32	G1
Suiza	86	D4
Suiza	120-121	G2
Sujumi	86	G-H4
Sumatra	68	E5
Sumatra	66	E5
Sumatra	118-119	J4
Sumatra	120-121	J4
Sumgait	86	H4-5
Sundsvall	86	E2
Suntar	68	E1
Superior, lago	48	E2
Superior, lago	118-119	C-D2
Sur, isla del	100	F-G8
Sur, isla del	118-119	L5
Sur, isla del	120-121	L5
Surabaya	68	E5
Surakarta	68	E5
Surat	68	C3
Surat Thani	68	D-E4
Surinam	50	G4
Surinam	120-121	E3
Sutlej, río	66	C3
Suva	100	G-H5
Suva	120-121	L4
Svalbard	118-119	G1
Svalbard	120-121	G1
Sverdrup	118-119	C-D1
Sverdrup	120-121	C-D1
Svobodnyj	68	F2
Swains	100	H-I5
Szczecin	86	E3
Tabora	34	G5
Tabriz	68	B3
Tacheng	68	D2
Tacloban	68	F4
Taegu	68	F3
Taejon	68	F3
Tafua	100	H6
Tahat	32	D2
Tahiti	100	J-K5
Tahoua	34	D3
Taichung	68	F3
Tailandia	68	E4
Tailandia	120-121	J3
Taimir, lago	66	E1
Taimir, península de	66	E1
Tainan	68	E3
Taipei	68	F3
Taipei	120-121	K3
Taiwán	68	F3
Taiwán	120-121	K3
Taiyuan	68	E3
Tajo	84	C4-5
Tajumulco, volcán	48	E4
Takla Makan, desierto de	66	C-D3
Tallinn	86	F3
Tallinn	120-121	G2
Tamale	34	C4
Tamanrasset	34	D2
Tambov	86	H3
Támesis	84	C3
Támesis	118-119	F2
Tamgak	32	D2-3

Name	Page	Grid
Tampere	86	F2
Tamworth	100	E7
Tana, lago	32	G3
Tana, río	32	H5
Tanezrouft	32	C2
Tanga	34	G5
Tanganika, lago	32	G5
Tánger	34	C1
Tangerang	68	E5
Tangshán	68	E2
Tanna	100	G6
Tanzania	34	G5
Tanzania	120-121	H4
Taonan	68	F2
Taongi	100	F2
Tapajós	48	G5
Taraz	68	C2
Tarfaya	34	B2
Tarragona	86	D4
Taskent	68	C2
Taskent	120-121	I2
Tasmania	100	D8
Tasmania	118-119	K5
Tasmania	120-121	K5
Tasmania, mar de	100	E-F7
Tasmania, mar de	118-119	L5
Tayikistán	68	C3
Tayikistán	120-121	I2
Tazovski	68	C-D1
Tbilisi	86	H4
Tbilisi	120-121	H2
Tchibanga	34	D-E5
Tegucigalpa	50	E4
Tegucigalpa	120-121	D3
Teherán	68	B3
Teherán	120-121	H2
Teresina	50	G5
Ternopol	86	F4
Terranova	118-119	E2
Terranova	120-121	E2
Terranova, isla	50	G2
Terranova, isla	48	G2
Territorio Británico del Índico	120-121	I4
Tesalónica	86	F4
Tete	34	G6
Tetuán	34	C1
Thabana	32	F-G7
Thai Nguyen	68	E3
The Valley	120-121	D3
The Valley	50	F4
Three Kings Islands	100	F-G7
Tian Shan	66	C-D2
Tianjín	68	E3
Tiaret	34	D1
Tíber	84	E4
Tibesti, montes	32	E2
Tibesti, montes	118-119	G3
Tibet	68	D3
Tíbet, Meseta del	66	D3
Tíbet, Meseta del	118-119	I-J2
Tierra de Francisco José	118-119	H1
Tierra de Francisco José	120-121	H1
Tierra del Fuego, Isla Grande de	50	F7
Tierra del Fuego, Isla Grande de	48	F7
Tierra del Fuego, Isla Grande de	118-119	D5
Tierra del Fuego, Isla Grande de	120-121	D5
Tierra del Norte	118-119	J1
Tierra del Norte	120-121	J1
Tigris	118-119	H2
Tigris, río	66	B3
Tijuana	50	D3
Tiksi	68	F1
Timbu	68	D3
Timbu	120-121	I-J3
Timisoara	86	F4
Timor	32	F5
Timor	100	F5
Timor	118-119	K4
Timor Oriental	68	F5
Timor Oriental	120-121	K4

Name	Page	Grid
Timor, mar de	68	F5
Timor, mar de	66	F5
Timor, mar de	100	A5
Timor, mar de	118-119	K4
Tindouf	34	C2
Tirana	86	E4
Tirana	120-121	G2
Tirreno, mar	86	E5
Tirreno, mar	84	E5
Titicaca, lago	48	F5
Titicaca, lago	118-119	D4
Tiumen	68	C2
Tlemcén	34	C1
Toamasina	34	H6
Tobolsk	68	C2
Tobruk	34	F1
Tocantins	48	G5
Togo	34	D4
Togo	120-121	G3
Tokelau, islas	100	H-I4
Tokelau, islas	120-121	A4
Tokio	68	G3
Tokio	120-121	K2
Toledo	86	C4-5
Toliara	34	H7
Toliatti	86	H3
Tombuctú	34	C3
Tomsk	68	D2
Tonga	100	H5
Tonga	118-119	M4
Tonga	120-121	M4
Toronto	50	E-F2
Torre Cerredo	84	C4
Torreón	50	D3
Toulouse	86	D4
Tours	86	D4
Townsville	100	D5
Trabzon	68	A2
Transvaal	32	F7
Tres Gargantas, embalse	118-119	J3
Tres Puntas, cabo	32	C4
Trinidad y Tobago	120-121	D3
Trinidad y Tobago	50	F4
Trinidad, isla	118-119	E3
Trinidad, isla	120-121	E3
Trípoli	34	E1
Trípoli	120-121	G2
Tripolitania	32	E1
Tristán da Cunha	118-119	F5
Tristán da Cunha	120-121	F5
Trivandrum	68	C4
Tromsø	86	E2
Trondheim	86	D-E2
Trujillo	50	F5
Tshikapa	34	E-F5
Tslofajarona		
Tsumeb		
Teumeb	34	
Tuamotu, archipiélago	118-119	B4
Tuamotu, islas	100	K6
Tubai, islas	100	J6
Tubkal	32	C1
Tucson	50	D3
Tudela	86	C4
Tula	86	G3
Tule	50	F1
Túnez	120-121	G2
Túnez	120-121	G2
Túnez (ciudad)	34	D-E1
Túnez (país)	34	D-E1
Tura	68	E1
Turfán	68	D2
Turgay	68	C2
Turín	86	D4
Turkana, lago	32	G4
Turkmenabat	68	C3
Turkmenistán	68	B3
Turkmenistán	120-121	H-I2
Turku	86	F3
Turquía	86	F4
Turquía	68	A3
Turquía	120-121	H2
Tuvalu	100	G4
Tuvalu	118-119	L4
Tuvalu (ciudad)	120-121	L4
Tuvalu (país)	120-121	L4
Tver	86	G3

Name	Page	Grid
Uagadugu	34	C3
Uagadugu	120-121	F-G3
Uahiguya	34	C3
Ubangui, meseta del	32	E-F4
Ubangui, río	32	E4
Uberlandia	50	G5
Ucayali	48	F5
Uchta	86	I2
Ucrania	86	F-G4
Ucrania	120-121	G-H2
Ufá	86	I3
Uganda	34	G4
Uganda	120-121	H3
Uíge	34	E5
Ujung Pandang (Makasar)	68	E-F5
Ulaangom	68	D2
Ulan Bator	68	E2
Ulan Bator	120-121	J2
Ulan-Ude	68	E2
Uljanovsk	86	H3
Ulsán	68	F3
Umea	86	E-F2
Uppsala	86	E2-3
Ural	84	I4-I3
Ural	118-119	H2
Ural, río	66	B2
Urales, montes	84	I2-3
Urales, montes	66	B1-2
Urales, montes	118-119	H1-2
Uralsk	86	I3
Urfa	68	A3
Uruguay	50	G6
Uruguay	48	G6
Uruguay	120-121	E5
Uruguay, río	118-119	E4-5
Urumqui	68	D2
Ushuaia	50	F7
Ust-Kamchatsk	68	H2
Ust-Kut	68	E2
Ust-Nera	68	G1
Usti	86	E3
Uzbekistán	68	C2
Uzbekistán	120-121	H-I2
Vaasa	86	F2
Vadodara	68	C3
Vadso	86	F1
Vaduz	120-121	G2
Vaduz	86	D-E4
Vaiaku	100	H5
Vaiaku	120-121	M4
Valdés, península de	118-119	D-E5
Valencia	50	F4
Valencia	86	C5
Valladolid	86	C4
Valle Luangua	32	G6
Valmiera	86	F3
Valparaíso	50	F6
Vancouver	50	C2
Vancouver, isla	50	C2
Vancouver, isla	48	C2
Vancouver, isla	118-119	B2
Vancouver, isla	120-121	B2
Vanern, lago	84	E3
Vanuatu	100	F5
Vanuatu	120-121	L4
Varna	86	F4
Varsovia	86	E-F3
Varsovia	120-121	G2
Västeräs	86	E3
Vaticano	86	D4
Vaticano	120-121	G2
Vättern, lago	84	E3
Vaxjo	86	E3
Venecia	86	D4
Venecia, golfo de	84	E4
Venezuela	50	F4
Venezuela	120-121	D3
Veracruz	50	E4
Verde, cabo	32	B3
Verde, cabo	34	A3
Verde, cabo	118-119	F3
Vereeniging	34	F7
Verjoyansk	68	F1

Name	Page	Grid
Verjoyansk, montes de	66	F1
Verjoyansk, montes de	118-119	K1
Verona	86	E4
Viborg	86	F-G2
Viborg	86	D3
Victoria	34	I5
Victoria	66	D3
Victoria	120-121	H4
Victoria, isla	118-119	C1
Victoria, isla	120-121	C1
Victoria, lago	32	G5
Victoria, lago	34	G5
Victoria, lago	118-119	H4
Victoria, río	100	C5
Viedma	50	F7
Viena	86	E4
Viena	120-121	G2
Vientiane	68	E4
Vientiane	120-121	J3
Vietnam	68	E4
Vietnam	120-121	J3
Vigo	86	C4
Vilayawada	68	D4
Vilnius	86	F3
Vilnius	120-121	G2
Vinitsa	86	F4
Vinn	68	E4
Viña del Mar	50	F6
Vishakhapatnam	68	D4
Vístula	84	E3
Vístula	118-119	G2
Vitebsk	86	F-G3
Viti Levu	100	G5
Vitória	50	G6-7
Vizcaya, golfo de	84	C4
Vladikavkaz	86	H4
Vladimir	86	G-H3
Vladivostok	68	F2
Vlöre	86	E-F4
Volga	84	H4
Volga	118-119	H2
Volgogrado	86	H4
Vologda	86	G3
Volta Negra, río	32	C3-4
Volta, lago	32	D4
Volta, lago	118-119	F-G3
Volzskij	86	H4
Vorónezh	86	G-H3
Vosgos	84	D4
Vostok	100	J5
Vyazma	86	G3
Wad Madani	34	G3
Wallis y Futuna	100	H5
Wallis y Futuna	120-121	M4
Walvis Bay	34	E7
Walvis, bahía de	32	E7
Warangal	68	C-D4
Warri	34	D4
Washington	50	F3
Washington	120-121	D2
Wau	34	F4
Weddell, mar de	118-119	E6
Weddell, mar de	120-121	E6
Wellesley	100	C-D5
Wellington	100	G8
Wellington	120-121	L5
Wenzhou	68	F3
Whitney, mount	48	D3
Wick	86	C3
Wihelm	100	D4
Wihelm	118-119	K4
Willemstad	120-121	D3
Willemstad	50	F4
Windhoek	34	E7
Windhoek	120-121	G4
Winnipeg	50	E2
Winnipeg, lago	48	E2
Winnipeg, lago	118-119	C2
Winton	100	D6
Woodroffe	100	C6
Wrangel	118-119	L-M1
Wrangel	120-121	L-M1
Wroclaw	86	E3
Wuhán	68	E3

Name	Page	Grid
Xai Xai	34	G7
Xi´an	68	E3
Xiamén	68	E3
Xining	68	E3
Xinyang	68	E3
Xuzhou	68	E3
Yabal Sham	66	B3
Yado, Meseta de	32	E2
Yakarta	68	E5
Yakarta	120-121	J4
Yakutsk	68	F1
Yalta	86	C4
Yamal, península de	66	C1
Yamantau	84	I3
Yamusukro	34	C4
Yamusukro	120-121	F3
Yancheng	68	F3
Yangtsé	32	E3
Yantai	68	E-F3
Yap	100	C3
Yaren	100	F4
Yaren	120-121	L4
Yaroslavl	86	G3
Yaundé	34	E4
Yemen	68	B4
Yemen	120-121	H3
Yenisei, río	66	D1
Yenisei, río	118-119	I1
Yereván	86	H5
Yereván	120-121	H2
Yessey	68	E1
Yibuti (ciudad)	34	H3
Yibuti (ciudad)	120-121	H3
Yibuti (país)	34	H3
Yibuti (país)	120-121	H3
Yinchuán	68	E3
Yingkou	68	E-F2
Yining	68	D2
Yokohama	68	F3
York, cabo	100	D5
York, cabo	118-119	K4
Yuba, río	32	H4
Yucatán	118-119	C-D3
Yukón	48	C1
Yukón, río	118-119	A1
Yulín	68	E3
Yulin, cabo	68	E4
Yulin, cabo	66	E4
Yumén	68	D2
Yunán, Meseta de	66	D-E3
Zabrze	86	E3
Zadar	86	E4
Zagreb	120-121	G2
Zagreb	86	E4
Zagros, montes	66	B3
Zagros, montes	118-119	H2
Zahedán	68	B-C3
Zambeze, río	32	F6-G6
Zambeze, río	118-119	H4
Zambia	34	F6
Zambia	120-121	G4
Zamboanga	68	F4
Zanzíbar	32	H5
Zanzíbar	34	G-H5
Zapaleri	48	F6
Zara Kuh	66	B3
Zaragoza	86	C4
Zaria	34	D3
Zhanjlang	68	E3
Zhdanov	86	G4
Zhengzhou	68	E3
Zherzkazgan	68	C2
Zhuzhou	68	E3
Zibó	68	E3
Ziel	100	C6
Zigansk	68	F1
Zigong	68	E3
Ziguinchor	34	B3
Zilina	186	E4
Zimbabue	34	F-G6
Zimbabue	120-121	G-H4
Zinder	34	D3
Zuirat	34	B2
Zurick	186	D4